2021

Mentoring
classic

HOW TO USE
2021 Mentoring Classic

속지를 "쉽게" 교체할 수 있는 스마트한 "시스템 다이어리"

✦ **내 마음대로 내지 순서 교체 가능!**
  시스템(0링)다이어리로 속지의 순서를 나에게 맞게 교체할 수 있어요!

✦ **친환경 / 무독성 고급 원단 사용, 부착력이 좋은 자석 베루!**
  친환경 / 무독성 원단 표지에 자석 베루로 안전하고 깔끔하게 사용할 수 있어요!

✦ **속지세트 별도 구입 가능!**
  속지세트만 구입하여 교체하면, 표지는 다음 해에도 다시 쓸 수 있어요!

✦ **안쪽 포켓 활용!**
  표지 안쪽에 있는 앞, 뒤 포켓에 스마트폰, 지폐, 상품권, 신용카드, 서류 등을 간편하게 휴대, 보관할 수 있어요!

✦ **넉넉한 프리노트 구성!** `프리노트256 별도 구입 가능`
  프리노트가 부족하면 1년 내내 별도 구입하여 원하는 곳에 끼워서 넉넉히 사용할 수 있어요!

✦ **My Bucket List :** Things to do before I die!
  올해 마이 버킷 리스트 페이지를 잘 기록하여 내년에도 그대로 새로운 멘토링다이어리에 옮겨주세요!

멘토링이란?

한 사람^{Mentor}이 다른 사람^{Mentee}과 긴밀하고 일정한 관계를 통하여
상호 간에 영향을 주고 받으면서 꾸준히 노력해 가는 과정이다.

2021 Mentoring Classic

Contents

믿음의 상급

믿음이 없이는 하나님을 기쁘시게 하지 못하나니 하나님께 나아가는 자는 반드시 그가 계신 것과 또한 그가 자기를 찾는 자들에게 상 주시는 이심을 믿어야 할지니라
히브리서 11:6

And without faith it is impossible to please God, because anyone who comes to him must believe that he exists and that he rewards those who earnestly seek him.
Hebrews 11:6

- My 2021
- 2020 ~ 2022 Calendar
- 2021 Calendar
- 2021 행사 계획표
- Monthly Plan
- 성경전서 개요
- Weekly Plan
- 나의 인생 노트
- Mentoring Series
- 매삼주오 성경읽기표
- 멘토링 기도 노트
- 오이코스 전도 노트
- 크리스천 멘토가 꼭 알아야 할 교회 절기 해설
- 크리스천 멘토의 추천도서
- 멘토북 나의 독서 계획표
- Project
- Free Note
- Graph Paper
- 2021 Event Calendar

프롤로그 : 멘토링
01. 멘토링이란?
02. 멘토링의 용어 이해
03. 멘토링의 기원과 등장
04. 멘토링의 발전
05. 멘토링의 정의
06. 멘토링의 8가지 형태와 기능
07. 멘토링의 20가지 핵심 수칙
08. 교회에서 멘토링 사역의 종류
09. 멘토 교사의 역할
10. 소그룹에서의 멘토링
(구역, 속회, 목장, 사랑방, 셀, 순)
11. 멘토는 누구인가?
12. 훌륭한 멘토가 되려면?
부록 : 올해 나의 멘토링 평가서

My 2021

나의 사명선언문

영 역	목 표	기도 제목	실천 방법
개 인			
가 정			
교 회			

2020 CALENDAR

09 | SEPTEMBER
S	M	T	W	T	F	S
		1	2	3	4	5
6	7	8	9	10	11	12
13	14	15	16	17	18	19
20	21	22	23	24	25	26
27	28	29	30			

10 | OCTOBER
S	M	T	W	T	F	S
				1	2	3
4	5	6	7	8	9	10
11	12	13	14	15	16	17
18	19	20	21	22	23	24
25	26	27	28	29	30	31

11 | NOVEMBER
S	M	T	W	T	F	S
1	2	3	4	5	6	7
8	9	10	11	12	13	14
15	16	17	18	19	20	21
22	23	24	25	26	27	28
29	30					

12 | DECEMBER
S	M	T	W	T	F	S
		1	2	3	4	5
6	7	8	9	10	11	12
13	14	15	16	17	18	19
20	21	22	23	24	25	26
27	28	29	30	31		

2022 CALENDAR

01 | JANUARY
S	M	T	W	T	F	S
						1
2	3	4	5	6	7	8
9	10	11	12	13	14	15
16	17	18	19	20	21	22
23	24	25	26	27	28	29
30	31					

02 | FEBRUARY
S	M	T	W	T	F	S
		1	2	3	4	5
6	7	8	9	10	11	12
13	14	15	16	17	18	19
20	21	22	23	24	25	26
27	28					

03 | MARCH
S	M	T	W	T	F	S
		1	2	3	4	5
6	7	8	9	10	11	12
13	14	15	16	17	18	19
20	21	22	23	24	25	26
27	28	29	30	31		

04 | APRIL
S	M	T	W	T	F	S
					1	2
3	4	5	6	7	8	9
10	11	12	13	14	15	16
17	18	19	20	21	22	23
24	25	26	27	28	29	30

05 | MAY
S	M	T	W	T	F	S
1	2	3	4	5	6	7
8	9	10	11	12	13	14
15	16	17	18	19	20	21
22	23	24	25	26	27	28
29	30	31				

06 | JUNE
S	M	T	W	T	F	S
			1	2	3	4
5	6	7	8	9	10	11
12	13	14	15	16	17	18
19	20	21	22	23	24	25
26	27	28	29	30		

07 | JULY
S	M	T	W	T	F	S
					1	2
3	4	5	6	7	8	9
10	11	12	13	14	15	16
17	18	19	20	21	22	23
24	25	26	27	28	29	30
31						

08 | AUGUST
S	M	T	W	T	F	S
	1	2	3	4	5	6
7	8	9	10	11	12	13
14	15	16	17	18	19	20
21	22	23	24	25	26	27
28	29	30	31			

09 | SEPTEMBER
S	M	T	W	T	F	S
				1	2	3
4	5	6	7	8	9	10
11	12	13	14	15	16	17
18	19	20	21	22	23	24
25	26	27	28	29	30	

10 | OCTOBER
S	M	T	W	T	F	S
						1
2	3	4	5	6	7	8
9	10	11	12	13	14	15
16	17	18	19	20	21	22
23	24	25	26	27	28	29
30	31					

11 | NOVEMBER
S	M	T	W	T	F	S
		1	2	3	4	5
6	7	8	9	10	11	12
13	14	15	16	17	18	19
20	21	22	23	24	25	26
27	28	29	30			

12 | DECEMBER
S	M	T	W	T	F	S
				1	2	3
4	5	6	7	8	9	10
11	12	13	14	15	16	17
18	19	20	21	22	23	24
25	26	27	28	29	30	31

2021 CALENDAR

01 JANUARY

S	M	T	W	T	F	S
					1 신정	2
3	4	5	6	7	8	9
10	11	12	13	14	15	16
17	18	19	20	21	22	23
24	25	26	27	28	29	30
31						

02 FEBRUARY

S	M	T	W	T	F	S
	1	2	3	4	5	6
7	8	9	10	11	12 설날	13
14	15	16	17	18	19	20
21	22	23	24	25	26	27
28						

03 MARCH

S	M	T	W	T	F	S
	1 삼일절	2	3	4	5	6
7	8	9	10	11	12	13
14	15	16	17	18	19	20
21	22	23	24	25	26	27
28	29	30	31			

04 APRIL

S	M	T	W	T	F	S
				1	2	3
4	5	6	7	8	9	10
11	12	13	14	15	16	17
18	19	20	21	22	23	24
25	26	27	28	29	30	

05 MAY

S	M	T	W	T	F	S
						1
2	3	4	5 어린이날	6	7	8
9	10	11	12	13	14	15
16	17	18	19 석가탄신일	20	21	22
23	24	25	26	27	28	29
30	31					

06 JUNE

S	M	T	W	T	F	S
		1	2	3	4	5
6 현충일	7	8	9	10	11	12
13	14	15	16	17	18	19
20	21	22	23	24	25	26
27	28	29	30			

07 JULY

S	M	T	W	T	F	S
				1	2	3
4	5	6	7	8	9	10
11	12	13	14	15	16	17 제헌절
18	19	20	21	22	23	24
25	26	27	28	29	30	31

08 AUGUST

S	M	T	W	T	F	S
1	2	3	4	5	6	7
8	9	10	11	12	13	14
15 광복절	16	17	18	19	20	21
22	23	24	25	26	27	28
29	30	31				

09 SEPTEMBER

S	M	T	W	T	F	S
			1	2	3	4
5	6	7	8	9	10	11
12	13	14	15	16	17	18
19	20	21 추석	22	23	24	25
26	27	28	29	30		

10 OCTOBER

S	M	T	W	T	F	S
					1	2
3 개천절	4	5	6	7	8	9 한글날
10	11	12	13	14	15	16
17	18	19	20	21	22	23
24	25	26	27	28	29	30
31						

11 NOVEMBER

S	M	T	W	T	F	S
	1	2	3	4	5	6
7	8	9	10	11	12	13
14	15	16	17	18	19	20
21	22	23	24	25	26	27
28	29	30				

12 DECEMBER

S	M	T	W	T	F	S
			1	2	3	4
5	6	7	8	9	10	11
12	13	14	15	16	17	18
19	20	21	22	23	24	25 성탄절
26	27	28	29	30	31	

2021 행사 계획표

월	일	행 사 명
1	3	신년주일
	10	
	17	
	24	
	31	
2	7	
	14	17일 : 사순절
	21	
	28	
3	7	
	14	
	21	
	28	종려주일 (고난주간 : 3월 29일 ~ 4월 3일)
4	4	부활절
	11	
	18	
	25	
5	2	
	9	13일 : 승천절
	16	
	23	성령강림절
	30	
6	6	
	13	
	20	
	27	

- 올해의 성경 말씀
- 올해의 목표 & 기도 제목

월	일	행 사 명
7	4	맥추감사절
7	11	
7	18	
7	25	
8	1	
8	8	
8	15	
8	22	
8	29	
9	5	
9	12	
9	19	
9	26	
10	3	
10	10	
10	17	
10	24	
10	31	종교개혁일
11	7	
11	14	
11	21	추수감사절
11	28	대강절
12	5	
12	12	
12	19	25일 : 성탄절
12	26	31일 : 송구영신예배

12
DECEMBER
2020

Be joyful always; pray continually; give thanks in all circumstances, for this is God's will for you in Christ Jesus.

1 Thessalonians 5:16~18

SUN	MON	TUE
**11	NOVEMBER** **2021.01	JANUARY** S M T W T F S S M T W T F S 1 2 3 4 5 6 7 1 2 8 9 10 11 12 13 14 3 4 5 6 7 8 9 15 16 17 18 19 20 21 10 11 12 13 14 15 16 22 23 24 25 26 27 28 17 18 19 20 21 22 23 29 30 24 25 26 27 28 29 30 31		1
6	7	8
13	14	15 11.1
20	21	22
27	28	29

이달의 목표		이달의 우선순위	

WED	THU	FRI	SAT
2	3	4	5 10.21
9	10	11	12
16	17	18	19
23	24	25 성탄절 11.11	26
30	31 송구영신예배		

1
JANUARY
2021

Let everything that has breath praise the LORD. Praise the LORD.
Psalms 150:6

SUN	MON	TUE
**2020.12	DECEMBER** S M T W T F S 　 　1 2 3 4 5 6 7 8 9 10 11 12 13 14 15 16 17 18 19 20 21 22 23 24 25 26 27 28 29 30 31 **02	FEBRUARY** S M T W T F S 　1 2 3 4 5 6 7 8 9 10 11 12 13 14 15 16 17 18 19 20 21 22 23 24 25 26 27 28		
3 신년주일	**4** 11.21	**5**
10	**11**	**12**
17	**18**	**19**
24	**25**	**26**
31		

이달의 목표		이달의 우선순위	

WED	THU	FRI	SAT
		1 신정	**2**
6	**7**	**8**	**9**
13 12.1	**14**	**15**	**16**
20	**21**	**22**	**23** 12.11
27	**28**	**29**	**30**

2
FEBRUARY
2021

Listen, my son, to your father's instruction and do not forsake your mother's teaching.

Proverbs 1:8

SUN	MON	TUE
**01	JANUARY** S M T W T F S — — — — — 1 2 — 3 4 5 6 7 8 9 — 10 11 12 13 14 15 16 — 17 18 19 20 21 22 23 — 24 25 26 27 28 29 30 — 31 **03	MARCH** S M T W T F S — — 1 2 3 4 5 6 — 7 8 9 10 11 12 13 — 14 15 16 17 18 19 20 — 21 22 23 24 25 26 27 — 28 29 30 31	1	2 12.21
7	8	9
14	15	16
21	22 1.11	23
28		

이달의 목표		이달의 우선순위	

WED	THU	FRI	SAT
3	4	5	6
10	11	12 설날 1.1	13
17 사순절	18	19	20
24	25	26	27

3
MARCH
2021

Then, after desire has conceived, it gives birth to sin; and sin, when it is full-grown, gives birth to death.

James 1:15

SUN	MON	TUE
**02	FEBRUARY** S M T W T F S 1 2 3 4 5 6 7 8 9 10 11 12 13 14 15 16 17 18 19 20 21 22 23 24 25 26 27 28 **04	APRIL** S M T W T F S 1 2 3 4 5 6 7 8 9 10 11 12 13 14 15 16 17 18 19 20 21 22 23 24 25 26 27 28 29 30	**1** 삼일절	**2**
7	**8**	**9**
14	**15**	**16**
21	**22**	**23** 2.11
28 종려주일	**29**	**30** 고난주간

이달의 목표		이달의 우선순위	

WED	THU	FRI	SAT
3	4 1.21	5	6
10	11	12	13 2.1
17	18	19	20
24	25	26	27
31			

4
APRIL
2021

It is God's will that you should be sanctified: that you should avoid sexual immorality;

1 Thessalonians 4:3

SUN	MON	TUE
**03	MARCH** S M T W T F S 1 2 3 4 5 6 7 8 9 10 11 12 13 14 15 16 17 18 19 20 21 22 23 24 25 26 27 28 29 30 31 **05	MAY** S M T W T F S 1 2 3 4 5 6 7 8 9 10 11 12 13 14 15 16 17 18 19 20 21 22 23 24 25 26 27 28 29 30 31		
4 부활절	5	6
11	12 3.1	13
18	19	20
25	26	27

이달의 목표		이달의 우선순위	

WED	THU	FRI	SAT
	1	2 2.21	3
		————— 고난주간 —————→	
7	8	9	10
14	15	16	17
21	22 3.11	23	24
28	29	30	

5

MAY
2021

Children, obey your parents in the Lord, for this is right.
Ephesians 6:1

SUN	MON	TUE
**04	APRIL** S M T W T F S 　　　　　1 2 3 4 5 6 7 8 9 10 11 12 13 14 15 16 17 18 19 20 21 22 23 24 25 26 27 28 29 30 **06	JUNE** S M T W T F S 　　1 2 3 4 5 6 7 8 9 10 11 12 13 14 15 16 17 18 19 20 21 22 23 24 25 26 27 28 29 30		
2 3.21	**3**	**4**
9	**10**	**11**
16	**17**	**18**
23 성령강림절	**24**	**25**
30	**31**	

이달의 목표		이달의 우선순위	

WED	THU	FRI	SAT
			1
5 어린이날	6	7	**8**
12 4.1	**13** 승천절	14	**15**
19 석가탄신일	20	21	**22** 4.11
26	27	28	**29**

JUNE 2021

Your word is a lamp to my feet and a light for my path.
Psalms 119:105

SUN	MON	TUE
**05	MAY** S M T W T F S / 1 / 2 3 4 5 6 7 8 / 9 10 11 12 13 14 15 / 16 17 18 19 20 21 22 / 23 24 25 26 27 28 29 / 30 31 **07	JULY** S M T W T F S / 1 2 3 / 4 5 6 7 8 9 10 / 11 12 13 14 15 16 17 / 18 19 20 21 22 23 24 / 25 26 27 28 29 30 31		**1** 4.21
6 현충일	7	8
13	14	15
20 5.11	21	22
27	28	29

이달의 목표

이달의 우선순위

WED	THU	FRI	SAT
2	3	4	5
9	10 5.1	11	12
16	17	18	19
23	24	25	26
30 5.21			

7
JULY
2021

A word aptly spoken is like apples of gold in settings of silver.
Proverbs 25:11

SUN	MON	TUE
**06	JUNE** S M T W T F S 　 　1 2 3 4 5 6 7 8 9 10 11 12 13 14 15 16 17 18 19 20 21 22 23 24 25 26 27 28 29 30 **08	AUGUST** S M T W T F S 1 2 3 4 5 6 7 8 9 10 11 12 13 14 15 16 17 18 19 20 21 22 23 24 25 26 27 28 29 30 31		
4 맥추감사절	**5**	**6**
11	**12**	**13**
18	**19**	**20** 6.11
25	**26**	**27**

이달의 목표		이달의 우선순위	

WED	THU	FRI	SAT
	1	2	3
7	8	9	10 6.1
14	15	16	17 제헌절
21	22	23	24
28	29	30 6.21	31

8
AUGUST
2021

Take my yoke upon you and learn from me, for I am gentle and humble in heart, and you will find rest for your souls.

Matthew 11:29

SUN	MON	TUE
1	2	3
8 7.1	9	10
15 광복절	16	17
22	23	24
29	30	31

이달의 목표		이달의 우선순위	

WED	THU	FRI	SAT
4	5	6	7
11	12	13	14
18 7.11	19	20	21
25	26	27	28 7.21

07 | JULY

S	M	T	W	T	F	S
					1	2	3
4	5	6	7	8	9	10
11	12	13	14	15	16	17
18	19	20	21	22	23	24
25	26	27	28	29	30	31

09 | SEPTEMBER

S	M	T	W	T	F	S
			1	2	3	4
5	6	7	8	9	10	11
12	13	14	15	16	17	18
19	20	21	22	23	24	25
26	27	28	29	30		

9
SEPTEMBER
2021

And I will ask the Father, and he will give you another Counselor to be with you forever--

John 14:16

SUN	MON	TUE
**08	AUGUST** S M T W T F S 1 2 3 4 5 6 7 8 9 10 11 12 13 14 15 16 17 18 19 20 21 22 23 24 25 26 27 28 29 30 31 **10	OCTOBER** S M T W T F S 1 2 3 4 5 6 7 8 9 10 11 12 13 14 15 16 17 18 19 20 21 22 23 24 25 26 27 28 29 30 31		
5	6	7 8.1
12	13	14
19	20	21 추석
26	27 8.21	28

이달의 목표		이달의 우선순위	

WED	THU	FRI	SAT
1	2	3	4
8	9	10	11
15	16	17 8.11	18
22	23	24	25
29	30		

10
OCTOBER
2021

*My help comes from the LORD,
the Maker of heaven and earth.*
Psalms 121:2

SUN	MON	TUE
**09	SEPTEMBER** S M T W T F S 　　　1 2 3 4 5 6 7 8 9 10 11 12 13 14 15 16 17 18 19 20 21 22 23 24 25 26 27 28 29 30 **11	NOVEMBER** S M T W T F S 　1 2 3 4 5 6 7 8 9 10 11 12 13 14 15 16 17 18 19 20 21 22 23 24 25 26 27 28 29 30		
3 개천절	**4**	**5**
10	**11**	**12**
17	**18**	**19**
24	**25**	**26** 9.21
31 종교개혁일		

| 이달의 목표 | 이달의 우선순위 |

WED	THU	FRI	SAT
		1	2
6 9.1	7	8	9 한글날
13	14	15	16 9.11
20	21	22	23
27	28	29	30

11
NOVEMBER
2021

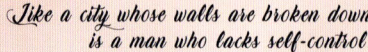

*Like a city whose walls are broken down
is a man who lacks self-control.*

Proverbs 25:28

SUN	MON	TUE
10 | OCTOBER S M T W T F S 　　　　　　1 2 3 4 5 6 7 8 9 10 11 12 13 14 15 16 17 18 19 20 21 22 23 24 25 26 27 28 29 30 31　　　**12 | DECEMBER** S M T W T F S 　　　　1 2 3 4 5 6 7 8 9 10 11 12 13 14 15 16 17 18 19 20 21 22 23 24 25 26 27 28 29 30 31	1	2
7	8	9
14	15 10.11	16
21 추수감사절	22	23
28 대강절	29	30

이달의 목표		이달의 우선순위	

WED	THU	FRI	SAT
3	4	5 10.1	6
10	11	12	13
17	18	19	20
24	25 10.21	26	27

12
DECEMBER
2021

*So in everything,
do to others what you would have them do to you,
for this sums up the Law and the Prophets.*

Matthew 7:12

SUN	MON	TUE

11 | NOVEMBER
S M T W T F S
  1 2 3 4 5 6
7 8 9 10 11 12 13
14 15 16 17 18 19 20
21 22 23 24 25 26 27
28 29 30
 	
2022.01 | JANUARY
S M T W T F S
                    1
2 3 4 5 6 7 8
9 10 11 12 13 14 15
16 17 18 19 20 21 22
23 24 25 26 27 28 29
30 31		

5	6	7
12	13	14 11.11
19	20	21
26	27	28

이달의 목표		이달의 우선순위	

WED	THU	FRI	SAT
1	2	3	4 11.1
8	9	10	11
15	16	17	18
22	23	24 11.21	25 성탄절
29	30	31 송구영신예배	

1
JANUARY
2022

*Satisfy us in the morning with your unfailing love,
that we may sing for joy and be glad all our days.*

Psalms 90:14

SUN	MON	TUE
2021.12 | DECEMBER　　**02** | FEBRUARY S M T W T F S　　S M T W T F S 　　　　1 2 3 4　　　　1 2 3 4 5 5 6 7 8 9 10 11　　6 7 8 9 10 11 12 12 13 14 15 16 17 18　　13 14 15 16 17 18 19 19 20 21 22 23 24 25　　20 21 22 23 24 25 26 26 27 28 29 30 31　　27 28		
2 신년주일	**3** 12.1	**4**
9	**10**	**11**
16	**17**	**18**
23 12.21	**24**	**25**
30	**31**	

이달의 목표		이달의 우선순위	

WED	THU	FRI	SAT
			1 신정
5	6	7	8
12	13 12.11	14	15
19	20	21	22
26	27	28	29

Bible Overview

성경전서 개요

약어표 (Abbreviations)   구약 : 39권 / 총 929장 / 23,214절   신약 : 27권 / 총 260장 / 7,957절

약	한글			약어	영문	장수	약	한글	약어	영문	장수
창	창	세	기	Ge	Genesis	50장	나	나 훔	Na	Nahum	3장
출	출	애 굽	기	Ex	Exodus	40장	합	하 박 국	Hab	Habakkuk	3장
레	레	위	기	Lev	Leviticus	27장	습	스 바 냐	Zep	Zephaniah	3장
민	민	수	기	Nu	Numbers	36장	학	학 개	Hag	Haggai	2장
신	신	명	기	Dt	Deuteronomy	34장	슥	스 가 랴	Zec	Zechariah	14장
수	여 호 수	아	Jos	Joshua	24장	말	말 라 기	Mal	Malachi	4장
삿	사 사	기		Jdg	Judges	21장	마	마 태 복 음	Mt	Matthew	28장
룻	룻		기	Ru	Ruth	4장	막	마 가 복 음	Mk	Mark	16장
삼상	사 무 엘	상	1Sa	1 Samuel	31장	눅	누 가 복 음	Lk	Luke	24장
삼하	사 무 엘	하	2Sa	2 Samuel	24장	요	요 한 복 음	Jn	John	21장
왕상	열 왕 기	상	1Ki	1 Kings	22장	행	사 도 행 전	Ac	Acts	28장
왕하	열 왕 기	하	2Ki	2 Kings	25장	롬	로 마 서	Ro	Romans	16장
대상	역 대	상	1Ch	1 Chronicles	29장	고전	고 린 도 전 서	1Co	1 Corinthians	16장
대하	역 대	하	2Ch	2 Chronicles	36장	고후	고 린 도 후 서	2Co	2 Corinthians	13장
스	에 스	라	Ezr	Ezra	10장	갈	갈 라 디 아 서	Gal	Galatians	6장
느	느 헤 미	야	Ne	Nehemiah	13장	엡	에 베 소 서	Eph	Ephesians	6장
에	에 스	더	Est	Esther	10장	빌	빌 립 보 서	Php	Philippians	4장
욥	욥	기		Job	Job	42장	골	골 로 새 서	Col	Colossians	4장
시	시	편		Ps	Psalms	150편	살전	데살로니가전서	1Th	1 Thessalonians	5장
잠	잠	언		Pr	Proverbs	31장	살후	데살로니가후서	2Th	2 Thessalonians	3장
전	전 도	서	Ecc	Ecclesiastes	12장	딤전	디 모 데 전 서	1Ti	1 Timothy	6장
아	아	가		SS	Song of Songs	8장	딤후	디 모 데 후 서	2Ti	2 Timothy	4장
사	이 사	야	Isa	Isaiah	66장	딛	디 도 서	Tit	Titus	3장
렘	예 레 미	야	Jer	Jeremiah	52장	몬	빌 레 몬 서	Phm	Philemon	1장
애	예레이먀가		La	Lamentations	5장	히	히 브 리 서	Heb	Hebrews	13장
겔	에 스	겔	Eze	Ezekiel	48장	약	야 고 보 서	Jas	James	5장
단	다 니	엘	Da	Daniel	12장	벧전	베 드 로 전 서	1Pe	1 Peter	5장
호	호 세	아	Hos	Hosea	14장	벧후	베 드 로 후 서	2Pe	2 Peter	3장
욜	요	엘		Joel	Joel	3장	요일	요 한 1 서	1Jn	1 John	5장
암	아 모	스	Am	Amos	9장	요이	요 한 2 서	2Jn	2 John	1장
옵	오 바	댜	Ob	Obadiah	1장	요삼	요 한 3 서	3Jn	3 John	1장
욘	요	나		Jnh	Jonah	4장	유	유 다 서	Jude	Jude	1장
미	미	가		Mic	Micah	7장	계	요 한 계 시 록	Rev	Revelation	22장

Weekly Plan

날마다 주께로

주의 말씀은 내 발에 등이요 내 길에 빛이니이다   시편 119:105
Your word is a lamp to my feet and a light for my path.   Psalms 119:105

Mentoring classic

48　금주의 우선순위 & 기도제목

2020. 11 | NOVEMBER

S	M	T	W	T	F	S
1	2	3	4	5	6	7
8	9	10	11	12	13	14
15	16	17	18	19	20	21
22	23	24	25	26	27	28
29	30					

SUN
11.29
대강절
10.15

MON
30

TUE
12.1

WED
2

THU
3

FRI
4

SAT
5

돈으로 음식은 살 수는 있지만, 입맛은 살 수 없다!

49 금주의 우선순위 & 기도제목

2020.12 | DECEMBER

S	M	T	W	T	F	S
		1	2	3	4	5
6	7	8	9	10	11	12
13	14	15	16	17	18	19
20	21	22	23	24	25	26
27	28	29	30	31		

SUN
12.6
10.22

MON 7

TUE 8

WED 9

THU 10

FRI 11

SAT 12

"말씀 충만한 삶"이란, 주님과의 친밀한 관계가 삶에 나타나는 것이다!

50 금주의 우선순위 & 기도제목

2020. 12 | DECEMBER

S	M	T	W	T	F	S
		1	2	3	4	5
6	7	8	9	10	11	12
13	14	15	16	17	18	19
20	21	22	23	24	25	26
27	28	29	30	31		

SUN 12.13 (10.29)

MON 14

TUE 15

WED 16

THU 17

FRI 18

SAT 19

"하나님께 열심"보다 귀한 것은, "하나님의 말씀에 대한 순종"이다!

51 금주의 우선순위 & 기도제목

2020.12 | DECEMBER

S	M	T	W	T	F	S
		1	2	3	4	5
6	7	8	9	10	11	12
13	14	15	16	17	18	19
20	21	22	23	24	25	26
27	28	29	30	31		

SUN
12.20
11.6

MON
21

TUE
22

WED
23

THU
24

FRI 성탄절
25

SAT
26

지극히 높은 곳에서는 하나님께 영광이요 땅에서는 하나님이 기뻐하신 사람들 중에 평화로다
(누가복음 2:14)

52 금주의 우선순위 & 기도제목

2020. 12 | DECEMBER

S	M	T	W	T	F	S
		1	2	3	4	5
6	7	8	9	10	11	12
13	14	15	16	17	18	19
20	21	22	23	24	25	26
27	28	29	30	31		

SUN
12.27
11.13

MON
28

TUE
29

WED
30

THU
31   송구영신예배

FRI   신정
2021
1.1

SAT
2

감사하는 마음으로 올해 일어났던 여러 사건들을 돌이켜보며, 하나님께서 주신 복을 세어 보자!

1 금주의 우선순위 & 기도제목

01 | JANUARY

S	M	T	W	T	F	S
					1	2
3	4	5	6	7	8	9
10	11	12	13	14	15	16
17	18	19	20	21	22	23
24	25	26	27	28	29	30
31						

SUN
1.3
신년주일
11.20

MON
4

TUE
5

WED
6

THU
7

FRI
8

SAT
9

한해의 출발선에 서서, 마음에서 우러나는 첫 발걸음을 내딛어 보자!
At the start of the year, take the first step out on the journey of the heart.

 금주의 우선순위 & 기도제목

01 | JANUARY

S	M	T	W	T	F	S
					1	2
3	4	5	6	7	8	9
10	11	12	13	14	15	16
17	18	19	20	21	22	23
24	25	26	27	28	29	30
31						

SUN
1.10
11.27

MON
11

TUE
12

WED
13

THU
14

FRI
15

SAT
16

무슨 일을 하든지, 하나님을 위하여 최선을!
Whatever you do, try your utmost for God's sake.

3 금주의 우선순위 & 기도제목

01 | JANUARY

S	M	T	W	T	F	S
					1	2
3	4	5	6	7	8	9
10	11	12	13	14	15	16
17	18	19	20	21	22	23
24	25	26	27	28	29	30
31						

SUN 1.17 (12.5)

MON 18

TUE 19

WED 20

THU 21

FRI 22

SAT 23

분노는 변변찮은 것을 극대화시키고, 온유함은 위대함을 완성한다.
Anger magnifies trivialities, gentleness accomplishes greatness.

 금주의 우선순위 & 기도제목

01 | JANUARY

S	M	T	W	T	F	S
					1	2
3	4	5	6	7	8	9
10	11	12	13	14	15	16
17	18	19	20	21	22	23
24	25	26	27	28	29	30
31

SUN 1.24 12.12

MON 25

TUE 26

WED 27

THU 28

FRI 29

SAT 30

열정은 새 믿음을 이끌어내고, 게으름은 무관심으로 이어진다.
Enthusiasm initiates new faith, idleness leads to indifference.

5 금주의 우선순위 & 기도제목

01 | JANUARY

S	M	T	W	T	F	S
					1	2
3	4	5	6	7	8	9
10	11	12	13	14	15	16
17	18	19	20	21	22	23
24	25	26	27	28	29	30
31						

SUN
1.31
12.19

MON
2.1

TUE
2

WED
3

THU
4

FRI
5

SAT
6

온유한 사람은 하나님의 의(義)를 깊이 믿는다.
The gentle deeply believes in God's justice.

6 | 금주의 우선순위 & 기도제목

02 | FEBRUARY

S	M	T	W	T	F	S
	1	2	3	4	5	6
7	8	9	10	11	12	13
14	15	16	17	18	19	20
21	22	23	24	25	26	27
28

SUN
2.7
12.26

MON
8

TUE
9

WED
10

THU
11

FRI 설날
12

SAT
13

역사를 공부하라! 오늘을 소중히 여길 수 있을 것이다.
Only through appreciation of history could we treasure today.

7 금주의 우선순위 & 기도제목

02 | FEBRUARY

S	M	T	W	T	F	S
	1	2	3	4	5	6
7	8	9	10	11	12	13
14	15	16	17	18	19	20
21	22	23	24	25	26	27
28

SUN 2.14
1.3

MON 15

TUE 16

WED 17 사순절

THU 18

FRI 19

SAT 20

예수님께서는 묶인 자들을 자유롭게 하실 수 있다.
Jesus could set the bound free.

8

02 | FEBRUARY

S	M	T	W	T	F	S
	1	2	3	4	5	6
7	8	9	10	11	12	13
14	15	16	17	18	19	20
21	22	23	24	25	26	27
28

SUN
2.21
1.10

MON
22

TUE
23

WED
24

THU
25

FRI
26

SAT
27

믿음과 순종은 동전의 양면과 같은 것이며 기쁨의 확신이기도 하다.
Faith and submissiveness are the two sides of a coin and the assurance of joy.

9 금주의 우선순위 & 기도제목

02 | FEBRUARY

S	M	T	W	T	F	S
	1	2	3	4	5	6
7	8	9	10	11	12	13
14	15	16	17	18	19	20
21	22	23	24	25	26	27
28						

SUN
2.28
1.17

MON 삼일절
3.1

TUE
2

WED
3

THU
4

FRI
5

SAT
6

속상할 때 잠잠하라! 진흙탕 물조차도 수정같이 맑아질 수 있다.
Stary calm when disturbed, even muddy water could become crystal clear.

10 금주의 우선순위 & 기도제목

03 | MARCH

S	M	T	W	T	F	S
	1	2	3	4	5	6
7	8	9	10	11	12	13
14	15	16	17	18	19	20
21	22	23	24	25	26	27
28	29	30	31			

SUN
3.7
1.24

MON
8

TUE
9

WED
10

THU
11

FRI
12

SAT
13

자녀들아 주 안에서 너희 부모에게 순종하라 이것이 옳으니라 (엡 6:1)
Children, obey your parents in the Lord, for this is right. (Ephesians 6:1)

 금주의 우선순위 & 기도제목

03 | MARCH

S	M	T	W	T	F	S
	1	2	3	4	5	6
7	8	9	10	11	12	13
14	15	16	17	18	19	20
21	22	23	24	25	26	27
28	29	30	31			

SUN
3.14
2.2

MON
15

TUE
16

WED
17

THU
18

FRI
19

SAT
20

용서란 새 장을 열고 관계를 새롭게 하는 촉매제이다.
Forgiveness is a catalyst creating a new scene and renewing relationships.

12 금주의 우선순위 & 기도제목

03 | MARCH

S	M	T	W	T	F	S
	1	2	3	4	5	6
7	8	9	10	11	12	13
14	15	16	17	18	19	20
21	22	23	24	25	26	27
28	29	30	31			

SUN
3.21
2.9

MON 22

TUE 23

WED 24

THU 25

FRI 26

SAT 27

믿음이란 불행의 순간에 노래하는 것이다.
Faith is singing in time of adversity.

13 금주의 우선순위 & 기도제목

03 | MARCH

S	M	T	W	T	F	S
	1	2	3	4	5	6
7	8	9	10	11	12	13
14	15	16	17	18	19	20
21	22	23	24	25	26	27
28	29	30	31			

SUN
3.28
종려주일
2.16

MON 고난주간 3.29 ~ 4.3
29

TUE
30

WED
31

THU
4.1

FRI
2

SAT
3

믿음의 가장 무서운 적은 의심이 아니라, 하나님에 대한 경멸이다.
The mortal enemy of faith is not suspicion, but contempt of God.

 금주의 우선순위 & 기도제목

04 | APRIL

S	M	T	W	T	F	S
				1	2	3
4	5	6	7	8	9	10
11	12	13	14	15	16	17
18	19	20	21	22	23	24
25	26	27	28	29	30	

SUN
4.4
부활절
2.23

MON
5

TUE
6

WED
7

THU
8

FRI
9

SAT
10

강한 자만이 자신의 약점을 인정하고 마주할 수 있다.
Only the strong could admit and face his weaknesses.

15 금주의 우선순위 & 기도제목

04 | APRIL

S	M	T	W	T	F	S
				1	2	3
4	5	6	7	8	9	10
11	12	13	14	15	16	17
18	19	20	21	22	23	24
25	26	27	28	29	30	

SUN
4.11
2.30

MON
12

TUE
13

WED
14

THU
15

FRI
16

SAT
17

해와 달과 별들은 하나님의 신실하심을 나타낸다.
The sun, the moon and the stars manifest God's faithfulness.

16 금주의 우선순위 & 기도제목

04 | APRIL

S	M	T	W	T	F	S
				1	2	3
4	5	6	7	8	9	10
11	12	13	14	15	16	17
18	19	20	21	22	23	24
25	26	27	28	29	30	

SUN
4.18
3.7

MON 19

TUE 20

WED 21

THU 22

FRI 23

SAT 24

믿음이란 평탄한 삶이 아니라 충만한 삶을 사는 것을 의미하는 것이다.
Faith does not spell a smooth life, but living life to the full.

17 금주의 우선순위 & 기도제목

04 | APRIL

S	M	T	W	T	F	S
				1	2	3
4	5	6	7	8	9	10
11	12	13	14	15	16	17
18	19	20	21	22	23	24
25	26	27	28	29	30	

SUN
4.25
3.14

MON 26

TUE 27

WED 28

THU 29

FRI 30

SAT 5.1

하나님과 친밀한 관계를 이루는 것이 믿음의 핵심, 뿌리이다.
Establishing close relation with God is the heart of faith, its very root.

18  금주의 우선순위 & 기도제목

05 | MAY

S	M	T	W	T	F	S
						1
2	3	4	5	6	7	8
9	10	11	12	13	14	15
16	17	18	19	20	21	22
23	24	25	26	27	28	29
30	31					

SUN
5.2
3.21

MON
3

TUE
4

WED 어린이날
5

THU
6

FRI
7

SAT
8

삶의 결정권인 "엔터키" 누를 권한을 하나님께 드리자!
Let God press 'ENTER' key in your life!

19 금주의 우선순위 & 기도제목

05 | MAY

S	M	T	W	T	F	S
						1
2	3	4	5	6	7	8
9	10	11	12	13	14	15
16	17	18	19	20	21	22
23	24	25	26	27	28	29
30	31					

SUN
5.9
3.28

MON
10

TUE
11

WED
12

THU 승천절
13

FRI
14

SAT
15

존경심은 조화의 시작이다.
Respect is the beginning of harmony.

20 금주의 우선순위 & 기도제목

05 | MAY

S	M	T	W	T	F	S
						1
2	3	4	5	6	7	8
9	10	11	12	13	14	15
16	17	18	**19**	20	21	22
23	24	25	26	27	28	29
30	31					

SUN
5.16
4.5

MON
17

TUE
18

WED 석가탄신일
19

THU
20

FRI
21

SAT
22

인류가 정복해야 할 것은 우주가 아니라 인간의 마음이다.
What man needs to conquer is not outer space but the inner space.

21 금주의 우선순위 & 기도제목

05 | MAY

S	M	T	W	T	F	S
						1
2	3	4	5	6	7	8
9	10	11	12	13	14	15
16	17	18	19	20	21	22
23	24	25	26	27	28	29
30	31					

SUN 5.23
성령강림절
4.12

MON 24

TUE 25

WED 26

THU 27

FRI 28

SAT 29

하나님의 뜻을 찾고 있다면, 당신의 관점은 버려라!
As you seek the will of God, let go of your own views!

 금주의 우선순위 & 기도제목

05 | MAY

S	M	T	W	T	F	S
						1
2	3	4	5	6	7	8
9	10	11	12	13	14	15
16	17	18	19	20	21	22
23	24	25	26	27	28	29
30	31					

SUN
5.30
4.19

MON
31

TUE
6.1

WED
2

THU
3

FRI
4

SAT
5

우리 삶을 경배의 찬송가로 만들어 그것으로 하나님께 영광을 돌리자!
Let's turn our life into a hymn of praise through which people could glorify God!

23 금주의 우선순위 & 기도제목

06 | JUNE

S	M	T	W	T	F	S
	1	2	3	4	5	
6	7	8	9	10	11	12
13	14	15	16	17	18	19
20	21	22	23	24	25	26
27	28	29	30			

SUN
6.6
현충일
4.26

MON 7

TUE 8

WED 9

THU 10

FRI 11

SAT 12

주의 말씀은 내 발에 등이요 내 길에 빛이니이다 (시 119:105)
Your word is a lamp to my feet and a light for my path. (Psalms 119:105)

24 금주의 우선순위 & 기도제목

06 | JUNE

S	M	T	W	T	F	S
		1	2	3	4	5
6	7	8	9	10	11	12
13	14	15	16	17	18	19
20	21	22	23	24	25	26
27	28	29	30			

SUN
6.13
5.4

MON
14

TUE
15

WED
16

THU
17

FRI
18

SAT
19

감사하는 마음은 영혼의 눈을 열어 준다.
A thankful heart opens the eyes of the soul.

25 금주의 우선순위 & 기도제목

06 | JUNE

S	M	T	W	T	F	S
		1	2	3	4	5
6	7	8	9	10	11	12
13	14	15	16	17	18	19
20	21	22	23	24	25	26
27	28	29	30			

SUN
6.20
5.11

MON 21

TUE 22

WED 23

THU 24

FRI 25

SAT 26

깨어나 용기를 가지고 새 날을 맞자!
Wake up and face a new day with courage!

 금주의 우선순위 & 기도제목

06 | JUNE

S	M	T	W	T	F	S
		1	2	3	4	5
6	7	8	9	10	11	12
13	14	15	16	17	18	19
20	21	22	23	24	25	26
27	28	29	30			

SUN
6.27
5.18

MON
28

TUE
29

WED
30

THU
7.1

FRI
2

SAT
3

하나님은 인생에 폭풍우가 칠 때 피난처가 되신다.
God is our shelter in life's storms.

27 금주의 우선순위 & 기도제목

07 | JULY

S	M	T	W	T	F	S
				1	2	3
4	5	6	7	8	9	10
11	12	13	14	15	16	17
18	19	20	21	22	23	24
25	26	27	28	29	30	31

SUN
7.4
맥추감사절
5.25

MON
5

TUE
6

WED
7

THU
8

FRI
9

SAT
10

영혼은 역경의 순간에 성장한다.
The Spirit grows in time of adversity.

28 금주의 우선순위 & 기도제목

07 | JULY

S	M	T	W	T	F	S
				1	2	3
4	5	6	7	8	9	10
11	12	13	14	15	16	17
18	19	20	21	22	23	24
25	26	27	28	29	30	31

SUN
7.11
6.2

MON 12

TUE 13

WED 14

THU 15

FRI 16

SAT 17 제헌절

믿음이란 어떤 상황에서든 감사드리는 것을 말한다.
Faith is giving thanks under all situations.

29 | 금주의 우선순위 & 기도제목

07 | JULY

S	M	T	W	T	F	S
				1	2	3
4	5	6	7	8	9	10
11	12	13	14	15	16	17
18	**19**	**20**	**21**	**22**	**23**	**24**
25	26	27	28	29	30	31

SUN
7.18
6.9

MON
19

TUE
20

WED
21

THU
22

FRI
23

SAT
24

섬김이란 당신의 삶을 타인을 위해 겸손히 헌신하는 것이다.
Service is humbly devoting your life for others.

30 금주의 우선순위 & 기도제목

07 | JULY

S	M	T	W	T	F	S
				1	2	3
4	5	6	7	8	9	10
11	12	13	14	15	16	17
18	19	20	21	22	23	24
25	26	27	28	29	30	31

SUN
7.25
6.16

MON
26

TUE
27

WED
28

THU
29

FRI
30

SAT
31

나는 말한다: "불가능해!"
하나님은 말씀하신다: 모든 것이 가능하다!
I say : "It's impossible!"
God says: all things are possible!

31 금주의 우선순위 & 기도제목

08 | AUGUST

S	M	T	W	T	F	S
1	2	3	4	5	6	7
8	9	10	11	12	13	14
15	16	17	18	19	20	21
22	23	24	25	26	27	28
29	30	31				

SUN
8.1
6.23

MON 2

TUE 3

WED 4

THU 5

FRI 6

SAT 7

나의 도움은 천지를 지으신 여호와에게서로다 (시 121:2)
My help comes from the Lord, the Maker of heaven and earth. (Psalms 121:2)

32 금주의 우선순위 & 기도제목

08 | AUGUST

S	M	T	W	T	F	S
1	2	3	4	5	6	7
8	9	10	11	12	13	14
15	16	17	18	19	20	21
22	23	24	25	26	27	28
29	30	31				

SUN
8.8
7.1

MON
9

TUE
10

WED
11

THU
12

FRI
13

SAT
14

육신은 성령이 거하시는 곳이며 감성과 지성을 보호하는 곳이다.
The body is the temple of the Holy Spirit and guardian of EQ and IQ.

33 금주의 우선순위 & 기도제목

08 | AUGUST

S	M	T	W	T	F	S
	1	2	3	4	5	6	7
8	9	10	11	12	13	14
15	16	17	18	19	20	21
22	23	24	25	26	27	28
29	30	31				

SUN
8.15
광복절
7.8

MON
16

TUE
17

WED
18

THU
19

FRI
20

SAT
21

부자들은 복이 있다. 그 부를 다른 이들과 나눌 수 있기에.
Blessed are the rich, for they could share their riches with others.

34 금주의 우선순위 & 기도제목

08 | AUGUST

S	M	T	W	T	F	S
1	2	3	4	5	6	7
8	9	10	11	12	13	14
15	16	17	18	19	20	21
22	23	24	25	26	27	28
29	30	31				

SUN
8.22
7.15

MON 23

TUE 24

WED 25

THU 26

FRI 27

SAT 28

하나님은 우리에게 본성을 주셨다. 우리는 그것을 잘 관리해야만 한다.
God has given us nature, we should manage well.

35 금주의 우선순위 & 기도제목

08 | AUGUST

S	M	T	W	T	F	S
	1	2	3	4	5	6	7
8	9	10	11	12	13	14
15	16	17	18	19	20	21
22	23	24	25	26	27	28
29	30	31				

SUN
8.29
7.22

MON 30

TUE 31

WED 9.1

THU 2

FRI 3

SAT 4

마음이 따뜻한 사람은 죄나 가난에 대해 결코 무관심하지 않다.
The compassionate would never be indifferent to the sins and needs.

36 금주의 우선순위 & 기도제목

09 | SEPTEMBER

S	M	T	W	T	F	S
			1	2	3	4
5	6	7	8	9	10	11
12	13	14	15	16	17	18
19	20	21	22	23	24	25
26	27	28	29	30		

SUN 9.5 7.29

MON 6

TUE 7

WED 8

THU 9

FRI 10

SAT 11

온유한 마음은 하늘의 은혜와 아름다움을 느낀다.
The compassionate heart feels the grace and beauty from above.

37 금주의 우선순위 & 기도제목

09 | SEPTEMBER

S	M	T	W	T	F	S
			1	2	3	4
5	6	7	8	9	10	11
12	13	14	15	16	17	18
19	20	21	22	23	24	25
26	27	28	29	30		

SUN
9.12
8.6

MON
13

TUE
14

WED
15

THU
16

FRI
17

SAT
18

믿음은 인간을 죄에서 자유하게 한다.
Faith frees one from sins.

 금주의 우선순위 & 기도제목

09 | SEPTEMBER

S	M	T	W	T	F	S
			1	2	3	4
5	6	7	8	9	10	11
12	13	14	15	16	17	18
19	20	21	22	23	24	25
26	27	28	29	30		

SUN
9.19
8.13

MON
20

TUE 추석
21

WED
22

THU
23

FRI
24

SAT
25

저는 주가 베푸시는 사랑의 온화함으로 씻기었습니다!
I bathe in the warmth of Your love.

39 금주의 우선순위 & 기도제목

09 | SEPTEMBER

S	M	T	W	T	F	S
			1	2	3	4
5	6	7	8	9	10	11
12	13	14	15	16	17	18
19	20	21	22	23	24	25
26	**27**	**28**	**29**	**30**		

SUN
9.26
8.20

MON
27

TUE
28

WED
29

THU
30

FRI
10.1

SAT
2

집에 정원이 없더라도, 꽃이 심겨진 화분을 놓고 감사하면 된다.
Even if you don't own a garden, you could give thanks for a pot of flowers.

 금주의 우선순위 & 기도제목

10 | OCTOBER

S	M	T	W	T	F	S
					1	2
3	4	5	6	7	8	9
10	11	12	13	14	15	16
17	18	19	20	21	22	23
24	25	26	27	28	29	30
31						

SUN
10.3
개천절
8.27

MON
4

TUE
5

WED
6

THU
7

FRI
8

SAT 한글날
9

믿음의 본질을 깨닫기 위해서는 홀로 하나님과 대면하는 법을 알아야만 한다.
To realize the truth of faith, we should know how to face God alone.

41 금주의 우선순위 & 기도제목

10 | OCTOBER

S	M	T	W	T	F	S
					1	2
3	4	5	6	7	8	9
10	11	12	13	14	15	16
17	18	19	20	21	22	23
24	25	26	27	28	29	30
31						

SUN
10.10
9.5

MON
11

TUE
12

WED
13

THU
14

FRI
15

SAT
16

하나님은 우리의 모든 것을 보신다. 가장 미약한 마음의 동요까지도.
God oversees our action, even to the finest stir of the heart.

42 금주의 우선순위 & 기도제목

10 | OCTOBER

S	M	T	W	T	F	S
					1	2
3	4	5	6	7	8	9
10	11	12	13	14	15	16
17	18	19	20	21	22	23
24	25	26	27	28	29	30
31						

SUN 10.17 (9.12)

MON 18

TUE 19

WED 20

THU 21

FRI 22

SAT 23

믿음이란, 깊이 신뢰하는 것이다.
Faith is to trust deeply.

43 금주의 우선순위 & 기도제목

10 | OCTOBER

S	M	T	W	T	F	S
					1	2
3	4	5	6	7	8	9
10	11	12	13	14	15	16
17	18	19	20	21	22	23
24	25	26	27	28	29	30
31						

SUN
10.24
9.19

MON 25

TUE 26

WED 27

THU 28

FRI 29

SAT 30

당신 가까이에 보물이 있다. 파내어져 발견되기를 기다리고 있는 보물이.
There is a treasure beside you, waiting to be dug and discovered.

금주의 우선순위 & 기도제목

10 | OCTOBER

S	M	T	W	T	F	S
					1	2
3	4	5	6	7	8	9
10	11	12	13	14	15	16
17	18	19	20	21	22	23
24	25	26	27	28	29	30
31						

SUN
10.31
종교개혁일
9.26

MON
11.1

TUE
2

WED
3

THU
4

FRI
5

SAT
6

내게 능력 주시는 자 안에서 내가 모든 것을 할 수 있느니라 (빌 4:13)
I can do everything through him who gives me strength. (Philippians 4:13)

45 금주의 우선순위 & 기도제목

11 | NOVEMBER

S	M	T	W	T	F	S
	1	2	3	4	5	6
7	8	9	10	11	12	13
14	15	16	17	18	19	20
21	22	23	24	25	26	27
28	29	30				

SUN
11.7
10.3

MON
8

TUE
9

WED
10

THU
11

FRI
12

SAT
13

100%의 희생만이 100%의 순종을 이끌어낸다.
Only 100% sacrifice could lead to 100% submissiveness.

 금주의 우선순위 & 기도제목

11 | NOVEMBER

S	M	T	W	T	F	S
	1	2	3	4	5	6
7	8	9	10	11	12	13
14	15	16	17	18	19	20
21	22	23	24	25	26	27
28	29	30				

SUN
11.14
10.10

MON 15

TUE 16

WED 17

THU 18

FRI 19

SAT 20

거룩함이란 단순한 "청결"만을 의미하지 않는다. "구별됨"의 의미가 있는 것이다.
Holiness is not just 'cleanliness', but 'separateness' as well.

 금주의 우선순위 & 기도제목

11 | NOVEMBER

S	M	T	W	T	F	S
	1	2	3	4	5	6
7	8	9	10	11	12	13
14	15	16	17	18	19	20
21	22	23	24	25	26	27
28	29	30				

SUN 11.21 추수감사절 10.17

MON 22

TUE 23

WED 24

THU 25

FRI 26

SAT 27

베푸는 습관은 하나님의 풍요로우심과 은혜를 깨닫는 데 도움이 된다.
The habit of offering helps us realize God's abundance and grace.

48 금주의 우선순위 & 기도제목

11 | NOVEMBER

S	M	T	W	T	F	S
	1	2	3	4	5	6
7	8	9	10	11	12	13
14	15	16	17	18	19	20
21	22	23	24	25	26	27
28	29	30				

SUN
11.28
대강절
10.24

MON
29

TUE
30

WED
12.1

THU
2

FRI
3

SAT
4

하나님의 나라와 그 의를 구하라. 여러분을 위해서가 아니라, 하나님을 위해서.
Seek God's kingdom and justice, not for their own sake, but for God.

49 금주의 우선순위 & 기도제목

12 | DECEMBER

S	M	T	W	T	F	S
			1	2	3	4
5	6	7	8	9	10	11
12	13	14	15	16	17	18
19	20	21	22	23	24	25
26	27	28	29	30	31	

SUN
12.5
11.2

MON
6

TUE
7

WED
8

THU
9

FRI
10

SAT
11

영혼이 풍요로운 사람은 길고 긴 고난을 겪은 사람이다.
The man of the spirit has gone through long suffering.

50 금주의 우선순위 & 기도제목

12 | DECEMBER

S	M	T	W	T	F	S
			1	2	3	4
5	6	7	8	9	10	11
12	13	14	15	16	17	18
19	20	21	22	23	24	25
26	27	28	29	30	31	

SUN 12.12
11.9

MON 13

TUE 14

WED 15

THU 16

FRI 17

SAT 18

신앙은 새로운 세계로 당신의 눈을 열어 주어 관점과 가치관을 바꿔 버린다.
Religion changes your view and values, opening your eyes to a new world.

51 금주의 우선순위 & 기도제목

| 12 | DECEMBER |
S	M	T	W	T	F	S
			1	2	3	4
5	6	7	8	9	10	11
12	13	14	15	16	17	18
19	20	21	22	23	24	25
26	27	28	29	30	31	

SUN
12.19
11.16

MON 20

TUE 21

WED 22

THU 23

FRI 24

SAT 25 성탄절

지극히 높은 곳에서는 하나님께 영광이요
땅에서는 하나님이 기뻐하신 사람들 중에 평화로다 (누가복음 2:14)
"Glory to God in the highest,
and on earth peace to men on whom his favor rests." (Luke 2:14)

52 금주의 우선순위 & 기도제목

12 | DECEMBER

S	M	T	W	T	F	S
			1	2	3	4
5	6	7	8	9	10	11
12	13	14	15	16	17	18
19	20	21	22	23	24	25
26	27	28	29	30	31	

SUN
12.26
11.23

MON
27

TUE
28

WED
29

THU
30

FRI 송구영신예배
31

SAT 신정
2022
1.1

감사하는 마음으로 올해 일어났던 여러 사건들을 돌이켜보며, 하나님께서 주신 복을 세어 보자!
With a thankful heart, count God's blessing under all situations during the year.

① 금주의 우선순위 & 기도제목

2022. 01 | JANUARY

S	M	T	W	T	F	S
						1
2	3	4	5	6	7	8
9	10	11	12	13	14	15
16	17	18	19	20	21	22
23	24	25	26	27	28	29
30	31					

SUN
1.2
신년주일
11.30

MON
3

TUE
4

WED
5

THU
6

FRI
7

SAT
8

한해의 출발선에 서서, 마음에서 우러나는 첫 발걸음을 내딛어 보자!
At the start of the year, take the first step out on the journey of the heart.

한해를 마치며 쓰는
나의 인생 노트

Mentoring Series

하나님의 뜻

이와 같이 이 작은 자 중의 하나라도 잃는 것은
하늘에 계신 너희 아버지의 뜻이 아니니라 마태복음 18:14

In the same way your Father in heaven is not willing
that any of these little ones should be lost.   Matthew 18:14

프롤로그

MENTORING

우리가 아는 멘토링의 사전적 의미는 경험과 지혜가 풍부한 한 사람 Mentor이 다른 한 사람 Mentee에게 지도와 조언을 하면서 실력과 잠재력을 개발시켜서 한 사람의 인생을 진실히 세워가는 것이다.

새로운 21세기에 들어와서 우리나라뿐만 아니라 세계적으로도 멘토링에 대한 관심이 지대해 지고 있으며 정치, 경제, 교육, 문화, 예술계까지 우리 사회 전반의 분야에서 멘토 Mentor와 멘티 Mentee에 대한 이야기들로 가득하게 넘쳐나고 있다.

그래서 조언을 주는 멘토와 조언을 받는 멘티와의 관계는 상호간에 영향을 주고받는 전인격적인 관계가 될 수밖에 없으며, 그 과정은 일시적으로 맺어지는 관계가 아니라 일생동안 꾸준히 노력하며 지속되는 만남의 과정이 되는 것이다.

예수님은 제자들에게 탁월한 모범을 보여주신 멘토이시고, 제자들은 예수님에게서 교훈과 조언을 받은 멘티라고 할 수 있다. 교회의 머리되시는 예수님의 마지막 명령이 "내가 너희에게 분부한 모든 것을 가르쳐 지키게 하라"는 것도 온 삶으로 보여주신 탁월한 멘토이셨기 때문이다.

교회는 본질적인 멘토링을 실현할 수 있는 가장 최적의 공동체요, 장소가 될 수가 있다. 왜냐하면, 교회는 전인격적인 관계를 가장 중시하시는 하나님의 뜻에 의하여 구현되는 삶의 현장이기 때문이며, 하나님과의 긴밀한 관계를 맺은 사람만이 또 다른 사람과 긴밀한 관계를 맺을 수 있기 때문이다.

간절히 바라기는 보다 많은 사람들이 이 책에 수록된 "멘토링 시리즈"를 통하여 성경적인 멘토링의 개념을 이해하고, 훈련하고, 또한 삶 속에 적용한다면, 섬김을 받는 멘티는 물론하고, 섬기는 멘토 자신에게도 "하나님의 충만한 삶"을 살게 되는 놀라운 생애가 반드시 펼쳐지게 될 것이다.

멘토링이란?

MENTORING 1

　멘토링을 이해하는 데는 두 개의 단어를 잘 이해하면 보다 쉽게 멘토링을 접근할 수 있다. 그 두 개의 중요한 단어는 "관계"와 "영향력"이란 단어인데, 이것을 잘 기억하면 멘토링이 무엇인지를 쉽게 결론을 내릴 수 있다.

　멘토링은 "관계"를 통해서 영향력을 끼치는 것인데 구체적으로 이야기를 해 보자. 멘토링은 "한사람이 다른 사람과 긴밀하고 일정한 관계를 통하여 상호간에 영향을 주고 받는 일련의 과정"이라고 설명하면서 여기에서 "일정한 관계"란 분명한 목적과 의도를 가지고 계획적이든 자연발생적이든 관계(일대일)를 맺어 도와주는 사람과 도움을 받는 사람과의 긴밀한 관계를 뜻한다.
　그리고 "상호간에 영향"이란 과거에는 도움을 받는 사람에게 영향을 주는 것으로 해석하였으나 현대에는 도움을 주는 사람까지도 상호간에 영향을 받는 것으로 해석하고 있다. 또한 "과정"이란 결과가 있기까지 관계를 맺고 활동하는 과정이라고 설명을 할 수가 있다. 뿐만 아니라 일정한 목표가 달성되면 적절한 방법으로 공식적인 관계를 종료하는 것도 중요한 요소가 된다.
　그러나 그 만남의 목적과 의도가 도움을 받는 사람의 인생 전반에 걸쳐서 도움을 주기 위한 경우에는 일생동안 지속될 수도 있다.
　멘토링을 요약하면, 사람이 일대일로 관계를 맺어(일대 소수의 관계도 가능) 상호간에 도움을 주며 영향력을 주기 위해 꾸준히 노력해 가는 과정을 말한다.

멘토링의 용어 이해

MENTORING 2

멘토링에는 몇 가지의 용어가 있다. 이 용어를 잘 이해하면 멘토링의 개념을 더욱 쉽게 이해 할 수가 있다.

먼저 "멘토Mentor"라는 용어다. 멘토는 인생의 안내자, 교사, 본을 보이는 자, 후원자, 장려자, 비밀까지 털어놓을 수 있는 자, 스승, 제자훈련자, 양육자, 훈련자, 코치, 교수, 지도자, 이끔이, 안내자, 사부, 사형, 선도자, 선배, 인도자, 리더, 목자, 대부(모), 동반자, 헬퍼, 조력자, 상담자, 조언자, 길잡이, 후원자, 후견인, 지원자, 모델 등의 뜻으로 이해 될 수 있으며 통칭하여 "도움을 주는 자"로 뜻을 이해하면 쉽겠다.

다음으로 사용되는 용어는 멘티Mentee라는 용어다. 이 용어의 뜻은 "도움을 받는 자"로 이해를 하면 쉬울 것이다. 멘토Mentor의 용어는 사람 이름이기 때문에 가능하면 그대로 표현하는 것이 좋을 듯싶다.

그러나 "멘티Mentee"의 용어는 여러가지의 용어로 표현이 되고 있음을 본다. 프랑스에서 멘토링의 원리를 처음 전한 페넬롱은 프로테제Protege로 표현했고, 미국 풀러신학교에서 강의한 클린턴Clinton 교수는 멘토리Mentoree로 표현하여 사용하고 있다.

어떤 용어이든 상관은 없다. 멘토링 책을 보다 보면 위와 같은 용어가 나올 경우에 멘티로 이해를 하면 무리가 없을 것이다. 그러나 우리나라에서는 편의상 멘티Mentee로 통일해서 표현하여 사용하고자 한다. 교회나, 기업체에서는 다른 이름으로 변경하여 사용하려고 많은 애를 쓰고 있다. 일반 기업체에서는 "후원자"로 쓰기도 한다. 그러나 가능하면 "멘토와 멘티"로 사용하여 멘토링의 통일된 개념 정립에 노력해 주기를 희망한다.

멘토링의 기원과 등장

MENTORING 3

그리스 신화 호머의 「오디세이」에서 B.C. 1250년 오디세우스 왕은 트로이 왕국을 멸망시키기 위해 20년간의 트로이 전쟁에 떠나기에 앞서서 대단히 나약한 아들인 텔레마쿠스를 친구이자 아들의 가정교사였던 멘토르^{Mentor}에게 맡기고 전쟁터로 떠난다.

   멘토르는 당시 이타카 일대에서 가장 지혜로운 사람, 철학자로 알려지기도 했다. 멘토르는 텔레마쿠스와 대화식으로 교육을 했고, 상상력을 동원하게 하였고, 질문을 던지고, 또한 텔레마쿠스를 대할 때는 동료처럼 대하여 거리를 좁혔다. 텔레마쿠스는 답변을 못할 때에는 불안한 흔들림으로 가득차 있다가도 아버지처럼 정다운 멘토르의 이야기에 스스로 녹아버렸다. 멘토르는 텔레마쿠스가 아버지를 찾아 나설 수 있도록 하는 임무를 맡겨서 용감하고 지혜로운 왕으로, 손색이 없는 훌륭한 인물로 성장시켰다. 멘토르는 텔레마쿠스가 완전한 인간, 즉 인격자, 용사, 지혜자, 왕자로서 손색없이 성장하도록 노력을 다했다. 텔레마쿠스가 성장을 하자 그토록 같이 있기를 간청하는 텔레마쿠스를 과감하게 멀리하고 멘토르는 그를 떠났다.
  이렇게 "멘토"라는 말은 그리스 신화 「오디세이」의 인물, 멘토르에서 유래한 것이다. 멘토는 자신에게 맡겨진 임무를 완수하기 위해 온몸을 던져 완벽하게 수행하였으며, 자신의 임무가 완료되었을 때, 미련 없이 떠나가는 아름다운 이야기에서 멘토르와 텔레마쿠스의 관계를 통하여 멘토링의 기원과 개념을 발견하게 된다.
  이러한 멘토르와 텔레마쿠스의 이야기를 처음으로 활용한 사람은 17세기 프랑스의 페넬롱^{Fenelon}이었다. 그는 멘토(스승)로서 프랑스 루이 14세의 손자 부르고뉴의 공작 루이^{Louis}를 지도했으며, 1699년에는 텔레마쿠스에 대한 책(「텔레마쿠스의 모험」 당대 가장 인기 있는 책 중의 하나였음)을 써서 널리 알렸던 인물로 오늘날 우리가 연구하고, 활용하고 있는 멘토링의 사상을 전해준 최초의 사람이다. 이로서 멘토는 지혜와 신뢰로써 한 사람의 인생을 이끌어 주는 지도자^{Leader} 등의 동의어로 사용되는 계기가 된 것이다.

멘토링의 발전

MENTORING 4

멘토링이 학계에서 관심을 갖게 된 것은 1978년 미국 예일대학교의 레빈슨 교수가 쓴 베스트셀러 「남성의 삶의 계절」The seasons of man's life이란 책을 출판한 이후부터이다. 레빈슨 교수는 인생에 있어서 성인시기로 들어가는 사람에게 좋은 멘토가 없다는 것은, 마치 어린아이에게 좋은 부모가 없는 것과 같다고 역설했다.

한편 1979년에 로체는 「하버드 비즈니스 리뷰」라는 잡지에서 당시 경제산업계의 임원 자리를 차지하고 있는 대부분의 사람들이 과거에 자신들의 멘토가 있었다는 사실을 발견해 낸다.

이 보고서 이후, 미국의 많은 직장에서는 이 멘토링 프로그램에 많은 관심을 보이고 있으며 연구하고 적용해 왔다.

이렇듯 멘토링의 관심은 70년대 말을 기점으로 80년대에 들어와서 학계의 상당한 주목을 받게 되고, 이후로 멘토링에 대한 서적들과 논문들이 많이 발표되고 있으며, 인터넷 아마존서점에 등록되어 있는 책만도 250여 권의 책이 있고, 미국 인터넷 사이트만 해도 약 250곳 이상이 있다. 이런 분위기 속에서 멘토링은 더욱 연구되어지고 있으며, 멘토매니아Mento-Mania란 신조어까지 나올 정도로 멘토링에 대한 연구가 활발하다.

미국의 기독교계에서 멘토링에 대하여 관심을 갖게 된 중요한 동기 중에 하나는, 80년대 초반부터 발생되었던 미국의 이름 있는 교계의 일부 지도자들의 수치스러운 돈, 섹스, 권력의 죄악들 때문이었다. 여기에 충격을 받은 여러 기독교 학자들이 이것을 방지할 수 있는 길이 무엇인가를 깊이 연구하던 중에 그 탁월한 대안으로 "멘토링Mentoring"을 제시한 것이다. 만일 그들에게 적절하고 지혜로운 멘토가 있었다면, 이같은 참혹하고 수치스러운 죄악들을 미연에 방지할 수가 있었을 것이라는 아쉬움이 남았던 것이다. 아울러 미국교회로부터 반면교사反面教師의 교훈을 받지 못한 한국교회는 2000년대에 이르러서 역시 교계의 일부 지도자들이 돈, 섹스, 권력의 죄악들을 답습하는 수치스럽고 안타까운 현실을 맞게 된다.

멘토링의 정의

MENTORING 5

- ◆ 멘토링은 하나님께서 주신 자원들을 나눔으로써 한 사람이 다른 사람에게 영향을 끼치는 일종의 관계적 경험이다. - Clinton
- ◆ 멘토링은 평생을 지속해야 하는 관계이다. 그 관계 속에서 멘토는 멘티가 하나님께서 주신 잠재력과 비전을 발견할 수 있도록 도와준다. - Bobb Biehl
- ◆ 멘토링은 멘토라고 불리는 한 사람이 멘티로 불리는 다른 사람에게 효과적으로 영향을 줄 수 있는 자산과 여러 가지 자원을 교환하여 줌으로써 능력을 키워주는 인간관계의 과정이다. - Clinton
- ◆ 한 사람이 다른 사람에게 긴밀하고 일정한 관계를 위하여 개인적으로 영향을 주고받는 모든 과정이다. - 박 건

　이러한 정의들을 종합하면, 첫째로 어떤 사람이 다른 사람을 돕는다는 것, 둘째로 인간관계이며, 셋째로 일회성이 아니라 지속되는 관계로써 멘토링을 이와같이 정의하는데 조금도 주저하지 않게 되었다. 이와 같이 정의를 내리는 이유는 멘토링이 교회에서만 행해지는 활동이 아니라, 오히려 산업 현장인 기업이나 공공기관, 특히 교육기관에서 더욱 활발하게 활용되고 있는 인간관계 방법론으로써 정착되고 있기 때문이다. 멘토링은 한 마디로, 한 사람Mentor이 다른 사람Mentee에게 영향을 주기 위해 일대일로 관계를 맺어 활동하는 일련의 과정이라고 할 수가 있다.

　여기서 먼저 관계를 생각해 보면, 한 사람이 다른 사람과 다른 사람은 또 다른 사람과 계층적, 상호 동료간 거미줄같이 긴밀하고 일정한 네트워크Network 관계를 이루게 되는데 이를 멘토링의 체인화Mentoring Chain라고 표현한다. 이와 같은 멘토링 체인화를 통하여 우리 모두가 추구하는 건강한 가정, 건강한 교회, 건강한 사회, 건강한 학교, 건강한 조직 및 건강한 국가가 이룩될 수가 있다.

멘토링의 8가지 형태와 기능

MENTORING 6

멘토링은 8가지 형태가 있고, 참여의 강도에 따라서 각각 다르게 기능이 나타나며, 8가지 형태는 멘토링 과정에서 일어나는 각자의 역할을 분명히 하며, 멘토링이 다양한 강도와 다양한 참여도를 보이는, 두 사람 사이의 관계적 상호 교류라는 것을 충분히 이해 할 수 있다.

1. **제자훈련자** Discipler 모든 삶의 영역에서, 모든 삶의 순간에서 전적으로 예수님을 따르는 사람이 되도록 세워주는 경우를 말한다.

2. **영적 인도자** Spiritual Guide 영적으로 성숙하게 하는데 영향을 미칠 질문이나 결정에 의해 통찰력을 주고 방향을 제시해 주는 경우를 말한다.

3. **코치** Coach 코치로서의 기능이다. 이는 신앙생활에서의 실제적인 도움을 주는 여러 기술들을 가르치거나 전수해 준다. 예를 들어 전도 훈련이나 기도 훈련, 상담법 같은 내용들이다.

4. **상담자** Counselor 상담자로서의 기능이며, 적절한 시기에 자신, 타인, 환경, 사역에 대해 성경적인 바른 관점을 가지도록 도와주는 경우를 말한다.

5. **교사** Teacher 가르치는 교사로서의 기능이며, 어떤 특정한 주제에 관하여 이해하도록 가르쳐 주는 경우도 해당이 된다.

6. **후원자** Sponser 후원자로서의 기능이며, 조직 안의 리더로서 보호자와 안내자로서의 역할을 해주는 경우를 말한다.

7. **현세적 멘토** Contemporary Mentor 현재 살아있는 인물 가운데 인생, 사역, 직업에 있어서 역할 모델 Role model 이 될 뿐만 아니라 선의의 경쟁심을 불러일으키는 경우를 말한다.

8. **역사적 멘토** Historical Mentor 이미 세상을 떠난 사람 가운데 역할 모델이 되는 기능이며, 역사적 인물 가운데 내게 좋은 영향을 준 사람이라면 역사적 멘토가 된다.

멘토링의 20가지 핵심 수칙

MENTORING 7

멘토링의 효과적인 실시를 위해 지혜로운 멘토는 다음과 같이 20가지 핵심 수칙을 기억하고 실천해야만 한다.

❶ 한 번에 한 사람의 파트너와만 만나라
❷ 개인적인 내용은 비밀을 유지하라
❸ 자라게 하시는 분은 하나님이시고 나는 돕는 역할 뿐임을 알라
❹ 멘토 자신이 계속 훈련을 받으며 자라가라
❺ 말보다는 삶으로 본을 보여라
❻ 상대방에 대한 진지한 사랑과 관심을 가져라
❼ 먼저 잘 들어 주고 자세히 관찰하라
❽ 시간과 약속을 잘 지켜라
❾ 언어 사용에 주의하고 예의를 지켜라
❿ 물질과 시간을 투자하고 멘토링 양육에 최우선 순위를 두라
⓫ 멘토의 모든 활동은 소속된 그룹의 지도자에게 감독을 받으라
⓬ 함께 목표를 설정하라
⓭ 어떤 내용을 가지고 교제 할지에 대해 정하라
⓮ 정기적인 만남을 가져라
⓯ 기간을 정하고 시작하라
⓰ 문제 해결에 있어 말씀의 권위를 인정하고 말씀을 사용하라
⓱ 외적인 요소로만 사람을 판단하지 마라
⓲ 적극적이고 긍정적인 자세를 가져라
⓳ 2, 3개월에 한 번씩 두 사람의 관계를 평가하라
⓴ 멘토링 양육은 가능하면 동성끼리 하라

교회에서 멘토링 사역의 종류

MENTORING 8

교회에서의 멘토링 사역으로는 정착멘토링, 양육멘토링, 훈련멘토링, 사역멘토링, 전도멘토링, 셀그룹멘토링으로 구분을 할 수 있겠다. 이 6가지 멘토링의 종류는 교회에서 적용할 수 있는 꼭 필수적인 멘토링의 내용들이다.

정착(새 가족 친교)을 위한 멘토링
정착을 위한 멘토링은 아주 중요한 부분이다. 어떻게 하면 새 신자, 이적 신자를 정착 시키고 양육까지 잘하여, 교회의 중요한 일꾼이 되도록 하기 위한 것이다.

양육을 위한 멘토링
기간은 3-6개월 정도가 적당하다. 한 그룹의 인원은 대개 2-4명 정도가 좋다. 이들은 리더(양육 멘토)와 더불어 깊이 있는 삶의 대화가 이루어지고 성경공부가 40%, 교제 나눔이 60%정도를 차지하도록 진행한다.

훈련을 위한 멘토링
훈련을 위한 소그룹은 대개 제자훈련이라는 이름으로 많이 한다. 이 제자훈련을 평신도가 인도할 수도 있고, 교역자가 할 수도 있으나 양육은 평신도가, 훈련은 교역자가 할 것을 권한다.

사역을 위한 멘토링
위의 두 성장(양육, 훈련) 멘토링과는 달리 사역멘토링의 영역이 있다.
우리나라 교회는 아직 사역멘토링의 개념이 약한데 성장 멘토링의 궁극적인 지향점이 바로 자신의 은사를 잘 발견하고 사역을 잘하게 하는데 있다고 할 때, 교회에서 이 사역멘토링은 매우 중요한 영역이 아니라고 할 수가 없다.

전도를 위한 멘토링
전도는 소그룹을 통해 훈련 받는 것이 가장 효과적이다. 기존 교인들이 전도할 대상자를 선정하여 가족부터 시행하므로 그들의 인적 사항을 파악한 후에 가장 잘 어울리는 전도 멘토와 일대일로 자연스럽게 연결시켜 효과적인 전도(성격, 배경, 비전 등이 같은 사람이므로) 활동이 가능하다.

소그룹(구역, 속회, 목장, 사랑방, 셀, 순 등) 멘토링
교회에서 가장 중요한 곳은 소그룹이다. 소그룹이 활성화 되지를 않으면 교회의 성장은 힘들다. 그만큼 소그룹은 교회에서 중요한 역할을 한다. 소그룹의 성장이, 곧 교회의 성장이다.

멘토 교사의 역할

MENTORING 9

　교회학교 멘토 교사는 특별히 하나님께 소명을 받은 자들로 하나님의 일을 위하여 헌신하는 자들이다.
　교육학자인 훅^{Hook}은 "교사는 본질적인 지식이나 기술을 전달할 뿐 아니라 자기의 소명을 심각히 자각하였을 때, 학습자의 습관이 형성되고 또 그의 인생 철학을 발전시키는 데 있어 강력한 영향을 미치게 된다."고 주장한다. 교회학교에 속한 멘토 교사는 다음과 같은 역할을 수행할 수 있어야만 한다.

① **안내자** as a Guider : 여행을 위해 안내자가 필요 하듯이 하나님의 나라를 학생들에게 바로 알리기 위해서는 성경에 대한 흥미가 유발될 수 있도록 사전에 충분한 준비로 학생들을 말씀으로 안내해야 한다.

② **멘토** Mentor : 존 듀이^{John Dewey}는 교육을 형식적 교육과 비형식적인 교육으로 분류하고 있지만 교육에는 3가지 방법이 있다. 형식적 교육, 비형식적 교육, 무형식적 교육이 그것으로 멘토에 의해 이루어지는 교육은 무형식적 교육이며, 현장 실습, 생활 훈련, 탐방 훈련, 문하생 지도에 의해 이루어지는 것이다.

③ **교사** Teacher : 교사란 지식을 전달하는 사람으로 기본적으로 자신이 가르치고자 하는 학문에 대해서 전문인이 되어 학생을 교육시켜야 한다.

④ **부모** like Parents : 어머니의 희생적인 사랑이 학생의 행동을 변화시킬 수 있듯이 멘토 교사의 부모같은 사랑이 학생들에게 전해질 때 교육의 효과는 극대화될 수 있다.

⑤ **상담자** Counselor : 멘토는 자신이 가지고 있는 지식만을 전달하는 자가 절대 아니다. 멘토는 가르치는 학생들의 생활까지 관심을 가져야 한다. 묵묵히 입다물고 있는 학생들의 내면의 소리를 들을 수 있어야 한다. 멘토는 학생들의 닫혀 있는 마음의 빗장을 열어줄 수 있는 상담자가 되어야 한다.

⑥ **친구** as a Friend : 교육계에서 출간된 잡지의 통계를 보면 부모와 자녀들의 대화의 90%이상이 "～해라!" "～했니?" "～하지마라!" "～하면 안돼!" 등의 지시적 언어와 명령형 언어로 구성되어 있다고 한다. 그렇기 때문에 가정이라는 울타리를 떠난 학생들이 자신들을 도와 줄 수 있는 존재로서의 멘토를 찾을 수 있도록 그들을 이해하고 그들의 사고를 공유할 수 있도록 친구같은 멘토가 되어야 하는 것이다.

소그룹에서의 멘토링
(구역, 속회, 목장, 사랑방, 셀, 순)

MENTORING 10

소그룹(구역, 속회, 목장, 사랑방, 셀, 순 등)은 교회의 강력한 조직이라고 말할 수 있다. 이 조직에서 하나님이 원하시는 대로 모임이 이루어지고 멘토링적인 소그룹을 이루면 소그룹은 물론이며 교회까지 풍성한 열매를 맺게 될 것이다. 그만큼 소그룹은 교회에서 중요한 위치에 있다. 소그룹은 관점과 강조점에 따라 다르지만 공통적으로 소그룹에서는 관계, 돌봄과 섬김, 양육, 본이 되는 일, 사역 그리고 행정이 필요하다. 다음은 소그룹에서 자연스럽게 일어나는 여러 가지 현상들을 열거 하였다.

관계 : 소그룹에서는 관계의 상황들이 아주 잘 일어나는 모임이다. 이 소그룹에 좋은 관계가 형성되고, 좋은 교제가 이루어지면 성공적인 소그룹이 될 수 있을 것이다.

돌봄과 섬김 : 소그룹에서 희생이 없는 관계는 진정한 관계가 아니다. 소그룹에서의 희생은 참으로 어려운 문제이다. 자칫 잘못되면 어려운 문제들에 봉착하는 경우들이 많다. 심사숙고하며 사랑을 가지고 좋은 멘토링 관계가 일어나야 한다.

양육 : 교회에서의 소그룹은 훌륭한 양육멘토링의 현장이다. 소그룹을 양육멘토링의 현장으로 최대한 활용을 하여야 할 것이다. 교회의 모든 소그룹에 있어서 리더는 양육 멘토로서의 역할을 충분히 감당하여야 한다.

본이 되는 일 : 소그룹 식구의 허물을 끝까지 덮어 주려고 노력하는 따뜻한 마음을 갖는 성도, 멤버를 신뢰하며 욕심 부리지 않고 편안한 마음으로 양육하는 성도, 어려운 사람을 헌신적으로 돕는 성도, 겸손한 마음으로 말없이 성도들의 필요를 채워 주는 리더, 우리는 이런 면에서 본이 되려는 사명감을 가지면 좋겠다. 굳이 말로 하지 않아도 서로의 삶 속에서 본이 되는 모습을 보여 줌으로써 성숙한 소그룹 공동체로 성장할 수 있을 것이다.

사역 : 소그룹이 하나의 작은 교회로서의 역할을 할 수 있어야 한다. 소그룹에서의 사역은 시간을 빼앗고 마음을 지치게 하는 것이 아니라 무엇보다도 하나님께서 사랑하라고 하신 명령에 순종하는 기쁨을 누리게하므로 오히려 교회의 모든 소그룹에 활력을 주는 좋은 계기가 될 것이다.

행정 : 소그룹은 교회의 가장 기본적이고도 영향력 있는 조직이므로 필요한 행정을 적극적으로 감당해야 한다. 소그룹에서 일어나는 여러 종류의 일들을 육하원칙에 의해 잘 기록하고 교회에 보고하며 소그룹 자체에 기록을 잘 남겨둠으로써 차기 리더나 후배들이 연속해서 소그룹의 일을 잘 할 수 있다. 가능하면 세부적인 행정이 되면 좋다.

멘토는 누구인가?

MENTORING 11

교회에서의 멘토링Mentoring 사역의 열쇠는 멘토Mentor에게 달려 있다.

"제자는 태어나는 것이 아니라 만들어지는 것이다." 라는 말처럼 좋은 멘토는 태어나는 것이 아니라 만들어지는 것이다. 그렇기에 교회에서의 멘토링 사역의 성공과 실패는 멘토를 어떻게 세워서 키워내느냐에 달려있다고 해도 과언이 아니다.

멘토는 멘토링을 주도하는 사람이다. 사람은 누구나 멘토가 될 수 있지만 누구나 좋은 멘토가 될 수 있는 것은 아니다. 좋은 멘토는 멘티Mentee(멘토에게 멘토링을 받는 사람)를 위하여 멘티에게 자신의 것을 나누어 줄 뿐만 아니라 기꺼이 자신을 멘티를 위해 희생할 수 있어야 한다.

기독교교육의 전문가인 미국 달라스신학교의 하워드 헨드릭스Howard Hendrix 교수에 의하면 "멘토는 다른 사람을 성숙시키고 또 계속 성숙해 가도록 도와주며 그가 그 자신의 생애의 목표를 발견하도록 도와주는데 자신을 헌신한 사람이다." 라고 정의한다. 이렇듯 멘토는 멘티의 성장과 장래에 영향을 끼치기 위해 자신이 가진 것을 마음껏 나누는 사람이다.

멘토링 십계명 (마 23:1-12)

멘토링 십계명에 대해서는 성경에서 제시하는 예수님의 멘토링 십계명을 제시해 보려고 한다.

❶ 말과 행동을 일치시켜라(3절)
❷ 시키지만 말고 함께 일하라(4절)
❸ 사람의 인기를 얻으려고 하지 말라(5절)
❹ 특권 의식을 갖지 말라(6절)
❺ 칭찬을 좋아하지 말라(7절)
❻ 직분의 명칭에 교만하지 마라(8절)
❼ 영적인 관계를 개발시켜라(9절)
❽ 오직 그리스도만 바라보라(10절)
❾ 모든 사람의 필요를 채워 섬겨라(11절)
❿ 겸손의 삶을 살라(12절)

훌륭한 멘토가 되려면?

MENTORING 12

우리는 누구나 다 훌륭한 멘토가 될 수 있다.

나 자신부터 훌륭한 멘토가 되어야 하며, 훌륭한 멘토의 삶을 살아야 한다. 그리고 많은 성도들을 훌륭한 멘토로 양육을 시켜야 한다. 믿지 않는 세상의 사람들에게도 멘토로서의 본을 보여줄 때, 그들이 하나님 앞으로 나올 것이다. 이것이 21세기에 교회가 하나님 앞에 바로 서는 길이며, 침체에 빠져있는 교회성장의 대안이다. 이제 훌륭한 멘토가 되기 위해서 몇 가지를 제시해 본다. 멘토는 이런 삶이 되도록 기도하면서 반드시 실천해야만 한다.

1. **사랑하라** 당신의 멘티를 사랑하라. 이 사랑이라는 요소 한 가지만으로도 멘토링에서 두려움을 상당 부분 해소할 수 있다. 왜냐하면 "온전한 사랑이 두려움을 내쫓기" 때문이다(요일 4:18). 또한 사랑은 "모든 것을 참기" 때문이다(고전 13:7). 이 사랑은 멘토로서의 역할 중 가장 핵심이 되는 요소이다.

2. **격려하고 위로하라** 좋은 멘토는 격려하는 사람, 확신하는 사람, 인정해 주는 사람, 즐겁게 해주는 사람이 되어야 한다. "너는 해낼 수 있어!" "정말 잘 했어!" "너는 언젠가는 그 분야에서 성공할거야!" 이런 식의 확신에 찬 말들은 불친절하고 해로운 말을 오랫동안 들어왔던 어린 시절의 상처를 안고 있는 멘티를 치료하는 데 커다란 도움이 된다.

3. **정직하라** 멘티에게 솔직히 털어놓으라. 당신의 성공뿐만 아니라 실패도 말하라. "나 역시 완벽하지 않다." 라고 인정하라. 이는 멘티에게 더욱 현실적인 안목을 심어줄 수 있다. 멘티의 질문에 모를 경우 정직하게 말해도 멘티는 그를 흉보지 않는다. 멘토를 더욱 훌륭하게 생각 할 것이다.

4. **당신의 동기를 점검하라** 당신의 할 일 중의 하나는 멘티를 성장시키는 것이다. 당신의 개인적인 목적을 위해 멘티를 이용하지 말라. 당신은 멘토로서 멘티가 성숙하고 나아지도록 도와야 한다. 당신이 훌륭하게 보이려고 멘티를 이용하지 말라.

5. **긴장을 풀라** 젊은이들은 멘토를 원한다. 그들은 당신이 그들을 멘티로 삼아 주는 것만으로도 고맙게 여기고 가슴 벅차한다. 평안한 마음으로 멘토링 관계에 임하라. 그들에게 관심을 가지라. "너의 우선순위는 무엇이냐?" "어떻게 도와줄까?" 긴장을 풀고 평안한 마음으로 질문하라. 멘토가 평안한 마음을 소유할 때, 멘티는 다가온다. 사람은 누구나 평안한 사람을 좋아한다.

올해 나의 멘토링 평가서

MENTORING 13

내 용	평 가				
	매우 그렇다	그런 편이다	보통이다	그렇지 않은 편이다	전혀 그렇지 않다
지금까지의 교회 생활을 통해 사랑하며 돌보아 주었다고 생각하는 교우가 있는가?					
얼마의 세월이 지났든지 상관없이, 지금도 시도하고 연락을 하며, 서로의 생각을 주고 받는 사람이 있는가?					
현재 사역의 대상이 되는 성도 가운데, 그의 성품과 가정 형편, 비전과 고민 등에 대해서 자세히 알고 있는가?					
나 자신이 누군가의 책임 있는 영적 지도자라고 생각하고 있는가?					
언제, 어떤 문제를 가지고도 마음 놓고 찾아갈 수 있거나, 존경과 사랑의 마음으로 만나고 싶어 하는 영적 지도자를 가지기를 원하는가?					
교회 내에서 나의 모든 것을 숨김없이 이야기하고 상담할 수 있는 성도가 있는가?					
교회 밖에 있는 사람 중에서 나의 모든 것을 숨김없이 이야기하고 상담할 수 있는 친구나 선배가 있는가?					
나는 현재 한 사람이라도 양육을 하고 있는가?					
	5점	4점	3점	2점	1점

올해의 종합평가

33점 이상	멘토링과 상관없이 멘토링적인 삶을 살고 있다
24 ~ 32점	멘토링을 어느 정도 적용하는 삶이다
18 ~ 23점	멘토링과 거리가 먼 삶이다
18점 이하	전혀 다른 삶으로 멘토링적인 관심이 필요하다

Project

Project

Project

Project

Project

Project

Project

Project

Project

Project

Project

Project

Project

Project

Project

Project

Project

Project

Project

Project

Project

Project

Project

Project

Project

Project

Project

Project

Project

Project

Project

Project

Project

Project

Project

Project

Project

Project

Project

Project

Project

Project

Project

Project

Project

Project

Project

Project

Project

Project

Project

Project

Project

Project

Project

Project

Project

Project

Project

Project

Project

Project

Project

Project

Project

Project

Project

Project

믿음의 본질

내게 능력 주시는 자 안에서 내가 모든 것을 할 수 있느니라 빌립보서 4:13
I can do everything through him who gives me strength. Philippians 4:13

Appendix

- 매삼주오 성경읽기표
- 멘토링 기도 노트
- 오이코스 전도 노트
- 나의 그룹 신상 기록부
- 멘토링 출석부
- 크리스천 멘토가 꼭 알아야 할 교회 절기 해설
- 크리스천 멘토의 추천도서
- 멘토북 나의 독서 계획표
- 2021 Event Calendar
- 푸른나무재단
- 밥상공동체 / 연탄은행
- 올트(Olt Cambodia)
- 2021 힐링 포레스트 7
- My Bucket List

Daily Bread

매삼주오는 우리나라의 초대 교회 성도들의 인사!
매일 삼장, 주일 오장 그래서 그 준말로 "매삼주오!"
매일 읽은 말씀은 匚로 표시하십시오!

구약 39권

책	1	2	3	4	5	6	7	8	9	10	11	12	13	14	15	16	17	18	19	20	21	22	23	24
창세기	1	2	3	4	5	6	7	8	9	10	11	12	13	14	15	16	17	18	19	20	21	22	23	24
	25	26	27	28	29	30	31	32	33	34	35	36	37	38	39	40	41	42	43	44	45	46	47	48
	49	50																						
출애굽기	1	2	3	4	5	6	7	8	9	10	11	12	13	14	15	16	17	18	19	20	21	22	23	24
	25	26	27	28	29	30	31	32	33	34	35	36	37	38	39	40								
레위기	1	2	3	4	5	6	7	8	9	10	11	12	13	14	15	16	17	18	19	20	21	22	23	24
	25	26	27																					
민수기	1	2	3	4	5	6	7	8	9	10	11	12	13	14	15	16	17	18	19	20	21	22	23	24
	25	26	27	28	29	30	31	32	33	34	35	36												
신명기	1	2	3	4	5	6	7	8	9	10	11	12	13	14	15	16	17	18	19	20	21	22	23	24
	25	26	27	28	29	30	31	32	33	34														
여호수아	1	2	3	4	5	6	7	8	9	10	11	12	13	14	15	16	17	18	19	20	21	22	23	
사사기	1	2	3	4	5	6	7	8	9	10	11	12	13	14	15	16	17	18	19	20	21			
룻기	1	2	3	4																				
사무엘상	1	2	3	4	5	6	7	8	9	10	11	12	13	14	15	16	17	18	19	20	21	22	23	24
	25	26	27	28	29	30	31																	
사무엘하	1	2	3	4	5	6	7	8	9	10	11	12	13	14	15	16	17	18	19	20	21	22	23	24
열왕기상	1	2	3	4	5	6	7	8	9	10	11	12	13	14	15	16	17	18	19	20	21	22		
열왕기하	1	2	3	4	5	6	7	8	9	10	11	12	13	14	15	16	17	18	19	20	21	22	23	24
	25																							
역대상	1	2	3	4	5	6	7	8	9	10	11	12	13	14	15	16	17	18	19	20	21	22	23	24
	25	26	27	28	29																			
역대하	1	2	3	4	5	6	7	8	9	10	11	12	13	14	15	16	17	18	19	20	21	22	23	24
	25	26	27	28	29	30	31	32	33	34	35	36												
에스라	1	2	3	4	5	6	7	8	9	10														
느헤미야	1	2	3	4	5	6	7	8	9	10	11	12	13											
에스더	1	2	3	4	5	6	7	8	9	10														
욥기	1	2	3	4	5	6	7	8	9	10	11	12	13	14	15	16	17	18	19	20	21	22	23	24
	25	26	27	28	29	30	31	32	33	34	35	36	37	38	39	40	41	42						
시편	1	2	3	4	5	6	7	8	9	10	11	12	13	14	15	16	17	18	19	20	21	22	23	24
	25	26	27	28	29	30	31	32	33	34	35	36	37	38	39	40	41	42	43	44	45	46	47	48
	49	50	51	52	53	54	55	56	57	58	59	60	61	62	63	64	65	66	67	68	69	70	71	72
	73	74	75	76	77	78	79	80	81	82	83	84	85	86	87	88	89	90	91	92	93	94	95	96
	97	98	99	100	101	102	103	104	105	106	107	108	109	110	111	112	113	114	115	116	117	118	119	120
	121	122	123	124	125	126	127	128	129	130	131	132	133	134	135	136	137	138	139	140	141	142	143	144
	145	146	147	148	149	150																		
잠언	1	2	3	4	5	6	7	8	9	10	11	12	13	14	15	16	17	18	19	20	21	22	23	24
	25	26	27	28	29	30	31																	
전도서	1	2	3	4	5	6	7	8	9	10	11	12												
아가	1	2	3	4	5	6	7	8																

권	1	2	3	4	5	6	7	8	9	10	11	12	13	14	15	16	17	18	19	20	21	22	23	24
이사야	1-24 / 25-48 / 49-66																							
예레미야	1-24 / 25-48 / 49-52																							
예레미야애가	1	2	3	4	5																			
에스겔	1-24 / 25-48																							
다니엘	1	2	3	4	5	6	7	8	9	10	11	12												
호세아	1	2	3	4	5	6	7	8	9	10	11	12	13	14										
요엘	1	2	3																					
아모스	1	2	3	4	5	6	7	8	9															
오바댜	1																							
요나	1	2	3	4																				
미가	1	2	3	4	5	6	7																	
나훔	1	2	3																					
하박국	1	2	3																					
스바냐	1	2	3																					
학개	1	2																						
스가랴	1	2	3	4	5	6	7	8	9	10	11	12	13	14										
말라기	1	2	3	4																				

🌿 신약 27권

권	1	2	3	4	5	6	7	8	9	10	11	12	13	14	15	16	17	18	19	20	21	22	23	24
마태복음	1-24 / 25-28																							
마가복음	1	2	3	4	5	6	7	8	9	10	11	12	13	14	15	16								
누가복음	1	2	3	4	5	6	7	8	9	10	11	12	13	14	15	16	17	18	19	20	21	22	23	24
요한복음	1	2	3	4	5	6	7	8	9	10	11	12	13	14	15	16	17	18	19	20	21			
사도행전	1-24 / 25-28																							
로마서	1	2	3	4	5	6	7	8	9	10	11	12	13	14	15	16								
고린도전서	1	2	3	4	5	6	7	8	9	10	11	12	13	14	15	16								
고린도후서	1	2	3	4	5	6	7	8	9	10	11	12	13											
갈라디아서	1	2	3	4	5	6																		
에베소서	1	2	3	4	5	6																		
빌립보서	1	2	3	4																				
골로새서	1	2	3	4																				
데살로니가전서	1	2	3	4	5																			
데살로니가후서	1	2	3																					
디모데전서	1	2	3	4	5	6																		
디모데후서	1	2	3	4																				
디도서	1	2	3																					
빌레몬서	1																							
히브리서	1	2	3	4	5	6	7	8	9	10	11	12	13											
야고보서	1	2	3	4	5																			
베드로전서	1	2	3	4	5																			
베드로후서	1	2	3																					
요한일서	1	2	3	4	5																			
요한이서	1																							
요한삼서	1																							
유다서	1																							
요한계시록	1	2	3	4	5	6	7	8	9	10	11	12	13	14	15	16	17	18	19	20	21	22		

멘토링
기도 노트

Prayer Note

그러므로 내가 너희에게 말하노니 무엇이든지 기도하고 구하는 것은
받은 줄로 믿으라 그리하면 너희에게 그대로 되리라
마가복음 11:24

기도 시작일	기도 제목	약속의 말씀	응답 결과

✦ 기도의 생활화를 위해서 **「멘토링노트 기도」**를 추천합니다.
　전국기독교서점과 온라인서점에서 구입하여 기도를 생활화 할 수 있습니다.

오이코스 전도 노트

Oikos Mission Note

오이코스 oikos란 집과 그 집 안에 거주하는 가족(친척, 고용인, 방문객까지도 포함하는 확장된 가정)을 뜻하는 헬라어(행16:31)

너희는 온 천하에 다니며 만민에게 복음을 전파하라
마가복음 16:15

전도 시작일	이 름	관 계	연락처 / E-mail	전도 내용

구체적인 관계의 변화

구체적인 관계의 변화

구체적인 관계의 변화

구체적인 관계의 변화

구체적인 관계의 변화

구체적인 관계의 변화

구체적인 관계의 변화

✦ 전도의 생활화를 위해서 **「멘토링노트 전도」**를 추천합니다.
전국기독교서점과 온라인서점에서 구입하여 전도를 생활화 할 수 있습니다.

My Members I.D

나의 그룹 신상 기록부

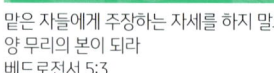

맡은 자들에게 주장하는 자세를 하지 말고
양 무리의 본이 되라
베드로전서 5:3

이 름				Birthday		
				Vision		
주 소				Phone & Mobile		
				E-mail		
가족 이름	관 계	생년월일	종 교	직 분	직 업

이 름				Birthday		
				Vision		
주 소				Phone & Mobile		
				E-mail		
가족 이름	관 계	생년월일	종 교	직 분	직 업

이 름				Birthday		
				Vision		
주 소				Phone & Mobile		
				E-mail		
가족 이름	관 계	생년월일	종 교	직 분	직 업

이 름				Birthday		
				Vision		
주 소				Phone & Mobile		
				E-mail		
가족 이름	관 계	생년월일	종 교		직 분	직 업

이 름				Birthday		
				Vision		
주 소				Phone & Mobile		
				E-mail		
가족 이름	관 계	생년월일	종 교		직 분	직 업

이 름				Birthday		
				Vision		
주 소				Phone & Mobile		
				E-mail		
가족 이름	관 계	생년월일	종 교		직 분	직 업

이 름				Birthday		
				Vision		
주 소				Phone & Mobile		
				E-mail		
가족 이름	관 계	생년월일	종 교		직 분	직 업

멘토링 출석부

My Register

··· 요한의 아들 시몬아 네가 이 사람들보다 나를 더 사랑하느냐···
내 어린 양을 먹이라···
요한복음 21:15

이 름	**1** JANUARY					**2** FEBRUARY				**3** MARCH				**4** APRIL				**5** MAY				
	3	10	17	24	31	7	14	21	28	7	14	21	28	4	11	18	25	2	9	16	23	30

6 JUNE				**7** JULY				**8** AUGUST					**9** SEPTEMBER				**10** OCTOBER					**11** NOVEMBER				**12** DECEMBER			
6	13	20	27	4	11	18	25	1	8	15	22	29	5	12	19	26	3	10	17	24	31	7	14	21	28	5	12	19	26

교회 절기
Church Festival

성경과 기독교 역사에서 유래된 크리스천 멘토가 꼭 알아야 할 교회 절기 해설

사순절 The Lent

부활절을 기점으로 역산하여 주일을 뺀 40일간을 주님의 고난과 부활을 묵상하며 경건히 보내고자 하는 절기로서, 예수님의 십자가 죽음에 담긴 사건을 구속사적인 관점에서 살펴보고, 자신의 신앙을 재각성하고자 40일간의 절제 기간을 갖는 것을 말한다.

종려주일 Palm Sunday

고난주간의 첫날, 예루살렘 입성 당시에 메시야로 오시는 예수님을 종려나무 가지를 흔들며 환영하는 것에서 유래되었고, 메시야이시면서도 어린나귀 새끼를 타신 모습에서 만왕의 왕이신 예수님의 겸손과 온유를 묵상하고 본받는 절기이다.

고난주간 Holy passion week

메시야이심을 선포하신 후, 종려주일부터 장사되시고 부활하신 부활절 직전까지로 예수님의 고난의 의미를 깊이 묵상하고, 태초부터 타락한 모든 인간의 구원의 완성을 이루시는 예수님의 전 우주적 고난에 대한 공의와 사랑을 깊이 깨닫는 기간이다.

부활절 The Easter

고난주간의 금요일에 죽어 장사되신 바 되었다가 3일만인 일요일 곧, 주일날에 스스로 죽음을 이기시고 부활하신 날을 기념하는 기독교 최고의 절기로서, 이 세상의 삶은 일시적인 것이고 반드시 예수님께서 재림하셔서 영원한 천국을 허락하실 것이라는 역사적 비전을 새롭게 확신하며, 구약시대의 안식일 Sabbath이 예수님을 중심으로 신약시대의 주일 Lord's Day로 바뀐 날이다.

승천절 The Ascensiontide

예수님의 승천은 예수 그리스도의 구속 사역의 완전성을 보여주는 것으로 부활하신 예수님께서 제자들과 함께 계시다가 40일 후에 하늘로 승천하신 것을 기념하는 날이다. 예수님의 승천은 "보이는 데서" 그리고 "육신으로" 승천하심으로써 모든 믿는 자들을 위해 앞서서 놀라운 길을 열어 놓으신 사건이다.

성령강림절 The Whitsunday

예수님의 승천 후, 마가의 다락방에 모여 있던 제자들에게 약속하셨던 성령이 처음이자 영원히 임재했던 사건을 기념하고, 오순절이라고도 불리며 예수님을 구주로 믿는 사람의 영 속에 하나님께서 성령님을 내주케 하심으로써 교제와 인도케 하셔서 전 존재를 새롭게 하는 날이다.

맥추감사절 Feast of Harvest

구약의 3대 절기인 맥추절을 계승한 절기로서, 보리 추수 직후에 거행된 유대인들의 추수감사절이었고, 맥추감사절의 현대적인 의미는 한해의 전반기를 끝내고 후반기를 시작하는 첫 주일에 하나님의 지켜주심과 은혜를 바라는 것이다.

추수감사절 Thanksgiving Day

근대적 기원은 미국의 청교도 The Puritan 들이 신앙의 자유를 찾아 신대륙으로 이주한 후, 온갖 고난과 수고의 땀을 흘리고 얻은 첫 수확을 하나님께 감사를 드리며 시작되었고, 한 나라에 국한치 않고 하나님께 대한 신앙과 자유의 존엄성, 개척 정신의 고귀함으로 인류 보편적인 가치가 담겨있는 것이다.

대강절 The Advent

예수 그리스도의 탄생을 미리 기대하는 성탄절 전의 4주간을 가리키며, 대림절과 강림절로도 불리는 대강절은 메시야로 오실 예수님의 탄생에 앞서 그분의 오심을 경건한 마음으로 준비하는 기간을 말하며, 사순절과 비교할 때에 밝은 분위기를 가진다.

성탄절 Christmas

세상 모든 사람들의 구원자와 주님이 되시는 예수 그리스도의 탄생을 기념하는 날로서, 하늘에는 영광이요 땅에는 기쁨이 넘치는 날이지만, 그것은 경건하고 신성한 의미의 기쁨이 되어야 하며 결코 세속적이고 감각적인 의미의 기쁨이 되어서는 안 되고, 예수님의 탄생이 갖는 구속사적 환희와 의미의 날이 되도록 성탄절의 본질을 회복하는 참다운 기쁨의 날이 되어야만 한다.

멘토북

Mentor Book

먼저 읽고, 멘티들과 삶을 나누어야 할 크리스천 멘토의 추천도서

「경건과 영성」

본회퍼의 삶 시리즈(1, 2, 3)	본회퍼/솔라피데출판사
영혼을 생기나게 하는 영성	디마레스트/쉴만한물가
눈속에 피는 장미	우즐라 코흐/솔라피데출판사
화목제물	홍성철/도서출판 세복
산다는 것이 황홀하다	다하라 요네코/솔라피데출판사
벤 카슨의 싱크빅	벤 카슨/솔라피데출판사
가시덤불 속에 핀 나리꽃	우즐라 코흐/솔라피데출판사
로마서에서 제시된 구원과 성화	홍성철/도서출판 세복
창세기(전3권)	제임스. M. 보이스/솔라피데출판사
로마서(전4권)	제임스. M. 보이스/솔라피데출판사

「기독교 교육과 제자훈련」

솔라피데 성경묵상법(지도자, 학생용)	문원욱/솔라피데출판사
기독교 신앙에 대한 질의응답 50	홍성철/도서출판 세복
신앙 클리닉(50주 완성)	박영선/도서출판 세움
기독교의 8가지 핵심진리	홍성철/도서출판 세복
어린이는 작은 어른입니다	권율복/도서출판 줄과추
반더발성경연구(전3권)	코넬리스 반더발/솔라피데출판사

「가정과 자녀교육」

신자의 가정생활	박영선/도서출판 세움
고든 맥도날드의 가정 엿보기	고든 맥도날드/비전북출판사
아버지의 목소리	나가이 다카시/솔라피데출판사

「어린이와 청소년」

사랑할 수 있을때 힘껏 사랑하세요	정지홍/하늘사다리
벤 카슨	루이스 부부/비전북출판사
데이비드 로빈슨	루이스 부부/비전북출판사
콜린 파웰	루이스 부부/솔라피데출판사

「리더십과 자기관리」

영적인 열정을 회복하라	고든 맥도날드/비전북출판사
입술의 열매	노길상/솔라피데출판사
미래는 진정한 리더를 요구한다	존 하가이/비전북출판사
비전의 서: 비전 있어?	샬롬 김용창/비전멘토링출판사
영혼이 성장하는리더	고든 맥도날드/비전북출판사

독서 세계는 이진법만 존재한다! 책 읽는 사람과 책 읽지 않는 사람!

멘토북
나의 독서 계획표

Leaders are Readers

분기별로 읽고 싶은 책을 계획하고, 꼭 읽기를 실천하기!

월	읽고 싶은 책	지은이	읽은 기간	독후 활동		읽은 후 책의 느낌		
				○	×	상	중	하
1 ~ 3								
4 ~ 6								
7 ~ 9								
10~12								

2021 Event Calendar

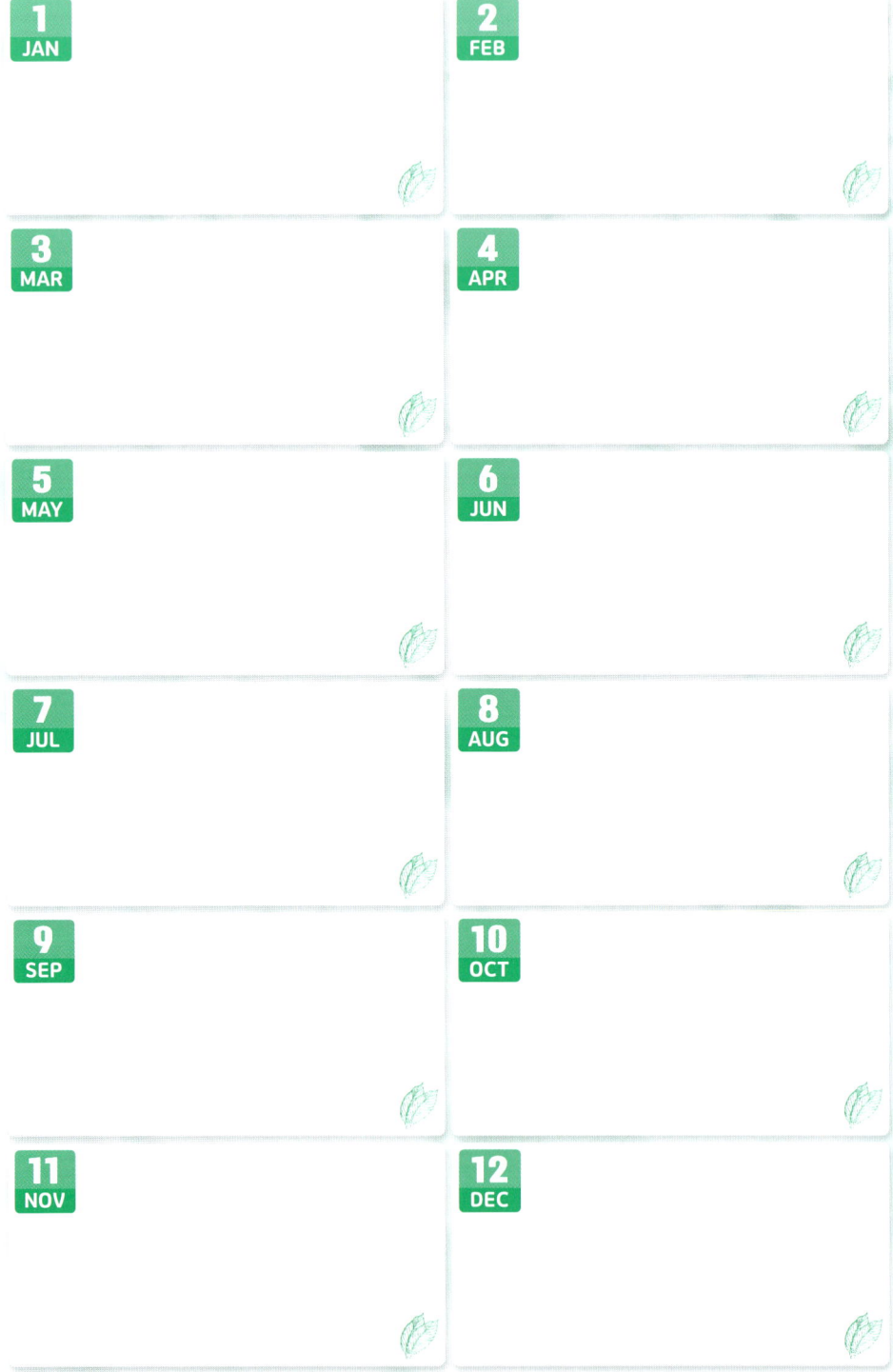

푸른나무재단
The Blue Tree Foundation

푸른나무재단은 1995년 우리나라 최초로 학교폭력의 심각성을 시민사회에 알리고 학교폭력 예방과 치료를 위한 활동을 목적으로 설립된 UN경제사회이사회에서 특별협의지위를 부여받은 청소년 NGO입니다.

홈페이지 www.btf.or.kr
대표번호 02-585-0098
전국학교폭력상담전화 1588-9128

🍃 상담지원

- 전국 학교폭력 상담전화 1588-9128(구원의팔)
- 학교폭력 위기상담 연간 55,137명
- 학교폭력 화해·분쟁조정/긴급출동 연간 9,437건

🍃 장학·나눔

- 대현장학회 결연 2,000명
- 희망나눔 블루스토어 연계
- ★ 삼성물산, 하나은행, 해성여고

🍃 예방교육

- **학교폭력 예방교육**
  - 찾아가는 학교폭력 예방교육 179,234명
  - 민간자격증 취득 연간 6,083명
- **사이버&디지털**
  - 사이버 폭력 예방교육
  - 디지털 시민교육 이수 22,081명
- **인성&가족**
  - 장병 인성교육 99,515명
  - 청소년 인성교육 1,200명
  - 가족역량 향상캠프 100가정
  - 취약계층 멘토링 2,797명
- **기업가 정신**
  - 기업가 정신교육
  - 메이커 스페이스 온기랩 운영

🍃 비폭력 문화운동

- 비폭력 지지 서명 550,826명
- 역대 캠페인 진행 2,500회
- 학교폭력예방 동아리사업(투게더 프로젝트)
- 블루밴드(비폭력문화 운동 청소년 동아리 활동)
- ★ 교육부, 울산교육청, KB국민은행, 열린의사회, KBS미디어, 강북삼성병원

🍃 국제활동

- UN경제사회이사회 특별협의지위 획득
- 유엔글로벌콤팩트(UNGC) 가입
- 학교폭력연구 및 국제세미나 교류(독일,캐나다,일본, 홍콩)
- 국제공인 프로그램 도입 (Marte Meo, ROE)

🍃 연구·정책제안

- 전국 학교폭력 실태조사 실시(2001년-현재)
- 연구도서 출간 120여종
- 법률제정
  - 국회청원 서명 47만명
  - 동법률 개정 참여 20여회

외면하지 말고,
손 내밀어주세요.

학교폭력을 막고 청소년들을 보호하는
푸른나무재단의 다양한 활동에 함께 해주세요.

정기후원	푸른나무재단 홈페이지 www.btf.or.kr을 통한 온라인 신청	
	푸른나무재단 대표번호 02-585-0098을 통한 유선 신청	
일시후원	ARS후원	060-700-1479 (한 통에 3천원 후원)
	후원계좌	신한은행 140-002-901942 / 예금주:푸른나무재단
	후원QR코드	후원QR 스캔 후 홈페이지 또는 PAYAPP으로 후원
재능·물품기부	푸른나무재단 홈페이지 www.btf.or.kr을 통한 온라인 신청	

정기후원

일시후원

비폭력지지 서명하기

소중한 후원금,
어떻게 사용될까요?

푸른나무재단은
후원금의 투명한 사용으로
제5회 삼일투명경영대상을
수상하였습니다.

도움이 필요한 청소년에게
전문적인 상담을 제공합니다.

경제적인 어려움으로 학교폭력 피해
이후 적절한 치료를 받지 못하는
청소년들의 치료비로 사용됩니다.

학교폭력 이후 치료와 회복을 위해
학교를 쉬거나 자퇴한 청소년들에게
학습의 기회를 제공합니다.

경제적인 어려움을 겪고 있는 취약계층
청소년들의 건강한 성장을 위해
생활비를 지원합니다.

학교폭력의 방관자가 아닌
적극적인 예방자로 성장하도록
청소년들을 교육합니다.

학교폭력에 신속히 대응할 수 있도록
부모와 선생님에게
전문적인 교육을 제공합니다.

학교폭력예방에 대한
시민사회의 관심과 참여를 유도하는
캠페인을 진행합니다.

학교폭력에 대한 연구를 통해
청소년을 보호할 다양한 방법을
모색합니다.

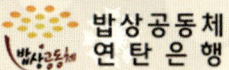 **밥상공동체 연탄은행**
강원도 원주시 일산로 81-2 / Tel : 033-766-3522
연탄은행 : 1577-9044 / www.babsang.or.kr

추운겨울,
밥상공동체·연탄은행에서
따뜻한 연탄을 드립니다!

따뜻한 대한민국 만들기

여러분의 후원과 봉사로 함께 만들어갑니다!

 365 day   연 탄 한 장 3.65kg
따뜻한 마음 36.5℃

연탄 1장 800원,
하루 4장이면 됩니다.
따뜻한 사랑의 온기로 함께 해주세요.

후원계좌 : 기업 128-057815-01-019 / 국민 303-01-0511-911

The Warmest **Yeontan Theology** in the World

세상에서
가장 따뜻한
연탄신학 이야기

추위에 떨지 않는 "따뜻한 대한민국 만들기" 위해
설립한 연탄은행의 뜨거운 스토리북!

'연탄신학'은 시대와 역사와 삶의 자리 Sitz im Leben 에서 비롯된,
"하나님에 대한 삶의 고백이요, 나눔의 현장이다!"

캄보디아에서 시작된 초교파 기독교 선교단체 올트(Olt)

THRIVING.
GOING BEYOND
SURVIVING.

올트는 복음을 전하기 위해 그리고 그리스도인들의 전인적인 번성을 위해 다양한 사회개발과 경제개발 프로젝트들을 매개로 하여 취약계층과 소외계층의 개개인뿐만 아니라 가정과 지역사회가 전인적으로 번성하고 자립하도록 훈련을 제공하며 준비시키고 지원합니다.

함께 동역해주시겠습니까?

여호와를 경외하며 그의 길을 걷는 자마다 복이 있도다 (시편 128:1)

역사의 아픔과 황폐화 된 땅에서의 생존과 가난을 딛고 회복되어가는 캄보디아 땅에 여호와를 경외하며 그의 길을 따라 걷는 복된 자를 세우기 위해 사역합니다.

올리브 트리 어린이-청소년 도서관 Olive Tree Library for Children & Junior Youth
캄보디아에 있는 어린이와 청소년에게 다양하고 유익한 책을 읽을 수 있는 기회와 환경, 그리고 독서 및 멘토링 프로그램을 제공함으로 성경적인 바른 가치관 학습, 잠재력 계발, 꿈 탐색을 하도록 도우며 복음의 씨앗을 심도록 사역하고 있습니다. 현재 영어, 한국어, 캄보디아어 도서를 1만여 권 이상 소장하고 있으며 독서 프로그램과 멘토링 프로그램이 진행되고 있고 유튜브 영상제작 사역도 추가적으로 진행하고 있습니다.

리빌드 프로젝트 Re:build Project
리빌드 프로젝트는 가난으로 인해 희망을 잃은 어린이와 청소년에게 예수님의 사랑으로 기초교육을 받을 수 있는 기회와 졸업할 수 있다는 희망을 다시 세우는 양육 프로그램입니다. 자신의 힘으로 일어날 수 없는 한 어린이에게, 후원자나 후원자 그룹은 전액 후원(월 4만 원)이나 부분 후원(월 1/2/3만 원)으로 교육을 지원하며 양육할 수 있습니다. 이 프로그램을 통해 어린이가 건강한 사회 구성원으로 성장하도록 꿈과 희망을 리빌드 Re:build, 다시 세워 나갑니다.

펄플라에 프로젝트 (열매맺음 직업훈련원) PhalPlae Project
펄플라에 프로젝트는 사회적 취약계층 근로자와 무직자에게 필요한 교육과 기술을 제공하여 훈련생과 그 가족이 건강한 사회의 구성원으로 자립하도록 지원합니다. 우선적으로, 한 부모 가정의 여성 가장 근로자와 무직자에게 기초문해교육과 기술을 제공하고, 충분한 교육과 기술이 필요한 연소근로자 출신의 젊은 근로자와 무직자에게 기술 교육을 제공하며 지속 가능한 자립을 돕고 있습니다.

후원안내
/ 1번 일반후원
/ 2번 올리브트리어린이-청소년도서관
/ 3번 리빌드프로젝트 (어린이후원프로그램)
/ 4번 펄플라에프로젝트 (열매맺음 직업훈련원)
/ 5번 현지 스태프 후원
/ 6번 기타-목적헌금 또는 관심사항

한국 후원계좌 : 국민은행 669101-01-285398 (올트)

*기부금 영수증 발급을 원하시면 입금 전 반드시 별도로 문의해 주시기 바랍니다.
*후원 시, 후원자님의 이름과 함께 옆의 해당 항목 번호를 추가로 기재하여 이체해 주시기 바랍니다. (예: 펄플라에 프로젝트 후원 시, '홍길동4')
*항목 번호를 넣지 않으신 건은 '올트'에서 가장 필요한 부분에 사용될 것 입니다.

후원문의
대표전화 +855) 61-440-535 (국제전화)
이메일   info@oltcambodia.org
홈페이지 www.oltcambodia.org
카카오톡 oltcambodia
주소   No. 79 Street 592, Office No. 502 Fifth Floor, Toul Kork, Phnom Penh, Cambodia

5 Loaves & 2 Fish Transcribe Bible

오직! 유일한! 바인더식 필사성경노트

오병이어 필사성경

✦ 비대면 신앙생활의 필수품! ✦

❶ 누구나 성경을 필사할 수 있다.
오병이어는 성경을 사랑하는 성도들이 각자 쓸 수 있고, 신앙 가정의 가족들, 교회 안의 각 부서별 구성원들, 교회의 어린이부터 노인에 이르기까지 전 교인들이 나누어 같이 쓸 수 있다.

❷ 모든 성경과 찬송가를 쓸 수 있다.
오병이어는 한글성경, 국한문성경, 각종 영어성경, 각 언어별 성경, 찬송가, 교독문 등을 쓸 수 있다.

❸ 성경 쓰기가 편리하다.
기존의 필사노트는 두꺼워서 성경 쓰기가 불편하지만, 오병이어는 바인더식 – 3공 D링으로 규격 통일이 되어 있어서 한 장씩 낱장 분리가 가능하므로 옮겨 쓰기가 매우 편리하다.

❹ 순서에 구애 받지 않는다.
기존의 필사노트는 대부분 구약의 창세기부터 신약의 마태복음 순서대로 써야 했으나 오병이어는 신·구약 어느 성경이든 구분없이 원하는 부분부터 쓰고 끼워 넣을 수 있다.

❺ 잘못 쓴 부분의 수정이 쉽다.
기존의 필사노트는 쓰다가 틀리면 틀린 부분은 수정액으로 지우든지 연필로 긋고 다시 써야 하므로 지저분하게 되지만 오병이어는 틀린 부분을 빼내고 새로운 장에 다시 쓸 수가 있어서 깨끗하고 정성이 깃든 마음으로 성경을 옮겨 쓸 수 있다.

❻ 휴대가 편리하다.
오병이어는 장소에 구분없이 필요한 양만큼 휴대가 가능하기 때문에 교회 수련회나 기도원 또는 국내 여행과 멀리 해외 여행을 갈 때도 편리하다.

❼ 고급 바인더로 보관과 영구 제본(가보성경)이 가능하다.
오병이어는 신·구약 성경쓰기가 끝난 후 손쉽게 여러 개의 고급 바인더 상태로 보관할 수도 있고, 속지만 빼내 제본을 하면 오래 보존이 가능하여, 가정의 가보성경으로 자손들에게 물려줄 수 있다.

❽ 속지는 필요한 만큼, 필요한 때에 구입이 가능하다.
오병이어는 바인더를 먼저 구입한 후, 성경 쓰기를 진행하며 다 쓴 후에는 속지(1단, 2단)가 필요할 때마다 조금씩 구입하여 쓸 수 있으므로 매우 경제적이다.

3공 D링   안전 모서리

1단으로 성경 필사하기!   **2단으로 성경 필사하기!**

오병이어필사성경 뉴바인더 **[자주색 1단]**   오병이어필사성경 뉴바인더 **[자주색 2단]**
오병이어필사성경 뉴바인더 **[청색 1단]**   오병이어필사성경 뉴바인더 **[청색 2단]**
오병이어필사성경 속지 **[1단]**   오병이어필사성경 속지 **[2단]**

※ 전국기독교서점과 온라인서점과 종합문고에서 구입할 수 있습니다.   도서문의 및 구입안내 : 031-992-8691

세계적인 탁월한 강해설교가

독자의 눈높이에서 문사철(文史哲)을 아우르는
출중한 설교자

제임스 몽고메리 보이스 James Montgomery Boice

세계적인 복음적 개혁주의 신앙의 저명한 강해설교가로서 문학, 역사, 철학을 아우르며, 성경을 독자의 눈높이에서 통찰하게 해주는 최고의 정통 개혁주의 강해설교가로 불리웠다. 또한 "바이블 스터디 아워"라는 복음 방송의 강해설교와 많은 저술 활동으로 전세계에 많은 영향력을 끼치며, 개혁신앙을 사수하고 변호하는 사역에 일평생을 바쳤다.

창조와 타락 (1권/창 1–11장)	값 25,000원	믿음으로 의롭다함 (1권/롬 1–4장)	값 25,000원
새로운 시작 (2권/창 12–36장)	값 25,000원	은혜의 통치 (2권/롬 5–8장)	값 25,000원
믿음의 삶 (3권/창 37–50장)	값 25,000원	하나님과 역사 (3권/롬 9–11장)	값 25,000원
세상에 오신 예수 그리스도 (1권/요 1–4장)	값 18,000원	새로운 인간성 (4권/롬 12–16장)	값 25,000원
예수님을 대적하는 종교 지도자들 (2권/요 5–8장)	값 18,000원	우리는 주님만 섬기리라 (수 1–24장)	값 10,000원
자기 사람들을 가르치시는 예수님 (3권/요 9–12장)	값 18,000원	그리스도의 몸된 교회 (엡 1–6장)	값 22,000원
예수님의 마지막 강론 (4권/요 13–17장)	값 18,000원	창세기 반양장본 전집 (전3권)	값 75,000원
예수 그리스도의 지상 생애의 절정 (5권/요 18–21장)	값 18,000원	로마서 양장본 전집 (전4권)	값 120,000원

평생을 성경 연구와 저술로 삶을 산 개혁신앙가

구속사적 관점으로 66권을 한 눈에…

코넬리스 반더발 Cornelis Vanderwaal

네덜란드 태생의 목사로서 개혁파 교회에서 사역하였고, 성경 주석 및 교회사 등에 관한 많은 책을 저술하여 성경 연구와 기독교 사상과 개혁신앙의 발전에 크게 기여하였다.

반더발 성경연구 1 (구약 I)
모세오경에서 역사서까지(창세기–에스더)

반더발 성경연구 2 (구약 II)
시가서에서 선지서까지(욥기–말라기)

반더발 성경연구 3 (신약)
복음서에서 예언서까지(마태복음–요한계시록)

코넬리스 반더발 지음 / 반양장 / 신국판 / 각권 20,000원

∗ 신·구약 성경 전66권을 훌륭하게 개관, 해설한 책!
∗ 성경신학(구속사)적 관점에서 본… 성경을 객관적으로 제시!
∗ 한국교회의 문제는 변화와 개혁!
"하나님의 말씀"으로 돌아가는 길뿐이다!

강력 추천
김의원 박사(총신대학교 전 총장)
박형용 박사(합동신학대학원대학교 전 총장)

∗전국기독교서점과 온라인서점과 종합문고에서 구입할 수 있습니다. 도서문의 및 구입안내 : 031-992-8691

다원주의와 상대주의 시대에도 변치 않는 하나님의 말씀으로, 성경적 세계관 세우기!

포스트모던시대를 살아갈 힘을 주는 성경적 세계관 세우기
새로운 주일학교 교재
삶이 있는 신앙 시리즈

국민일보
CHRISTAN EDU BRAND AWARD
기독교 교육 브랜드 대상

유년부(초1~3년) 1·2·3년차
1·2분기 / 3·4분기 각권 5,000원

중등부(중1~3년) 1·2·3년차
1·2분기 / 3·4분기 각권 5,000원

초등부(초4~6년) 1·2·3년차
1·2분기 / 3·4분기 각권 5,000원

고등부(고1~3년) 1·2·3년차
1·2분기 / 3·4분기 각권 5,000원

✦ **다른세대가 아닌 다음세대 양육**
자기 생각에 옳은 대로 하는 포스트모던적인 사고의 틀을 벗어나, 하나님의 말씀에 기초해서 생각하고 행동하는 성경적 세계관(창조, 타락, 구속)의 틀로 시대를 읽고 살아가는 "믿음의 다음세대"를 세울 구체적인 지침서!

✦ **가정에서 실질적인 쉐마 교육 가능**
각 부서별(유년, 초등, 중등, 고등)의 눈높이에 맞게 집필하면서 모든 부서가 "동일한 주제의 다른 본문"으로 공부하도록 함으로써, 가정에서 부모와 자녀가 함께 성경에 대한 유대인들의 학습법인 하브루타식의 토론이 가능!

✦ **원하는 주제에 따라서 권별로 주제별 성경공부 가능**
성경말씀, 조직신학, 예수님의 생애, 제자도 등등

✦ **3년 교육 주기로 성경과 교리에 대한 기본적인 이해가 가능하도록 구성(삶이 있는 신앙)**
 – 1년차 : 성경말씀의 관점으로 본 창조/타락/구속
 – 2년차 : 구속사의 관점으로 본 창조/타락/구속
 – 3년차 : 하나님 나라의 관점으로 본 창조/타락/구속

"토론식 공과는 교사용과 학생용이 동일합니다!"
(교사 자료는 "삶이있는신앙" 홈피에 있습니다.)

토론식 공과(12년간 커리큘럼) 3년차 1·2분기(4종) 12월 발행!

기독교 세계관적 성경공부 교재 고신대학교 전 총장 **전광식**
믿음의 다음세대를 세울 최고의 교재 맑은샘광천교회 원로목사 **이문희**
다음세대가 하나님 말씀의 진리에 풍성히 거할 수 있게 될 것을 확신 총신대학교 교수 **신국원**
한국교회 주일학교 상황에 꼭 필요한 교재 브리지임팩트사역원 대표 **홍민기 목사**

※ 전국기독교서점과 온라인서점과 종합문고에서 구입할 수 있습니다. 도서문의 및 구입안내 : 031-992-8691

전남 장흥	비자나무와 차향이 어우러진, 비자나무숲
	장흥군청 문화관광과 (061) 860-0224

부산 기장	치유와 힐링을 즐기다, 아홉산숲과부산치유의숲
	기장군청 문화관광과 (051) 709-4081

2021 힐링 포레스트 7

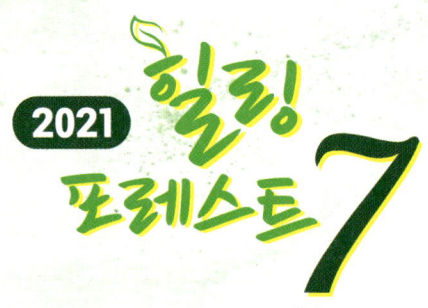

경북 영양	오지 마을 초록 힐링, 영양자작나무숲
	영양군청 문화관광과 (054) 680-6412

충북 제천	꽃, 나비와 숲속 힐링 타임, 국립제천치유의숲
	국립제천치유의숲 (043) 653-9871

강원 강릉	100년 된 소나무 숲이 지닌 치유의 힘, 국립대관령치유의숲
	국립대관령치유의숲 (033) 642-8651

경기 가평	걷고 사색하고 치유하다, 잣향기푸른숲
	잣향기푸른숲 (031) 8008-6769

경기 포천	국내 최고의, 수목원과 숲
	국립광릉수목원 (031) 540-2000

MY BUCKET LIST

여호와의 인자하심과 인생에게 행하신 기적으로 말미암아 그를 찬송할지로다
그가 사모하는 영혼에게 만족을 주시며 주린 영혼에게 좋은 것으로 채워주심이로다 *시편 107:8~9*
Let them give thanks to the LORD for his unfailing love and his wonderful deeds for men,
for he satisfies the thirsty and fills the hungry with good things. *Psalms 107:8~9*

#		#	
1		26	
2		27	
3		28	
4		29	
5		30	
6		31	
7		32	
8		33	
9		34	
10		35	
11		36	
12		37	
13		38	
14		39	
15		40	
16		41	
17		42	
18		43	
19		44	
20		45	
21		46	
22		47	
23		48	
24		49	
25		50	

Personal Note

개인 Personal
이　　름
주　　소
전　　화
핸 드 폰
E - m a i l
홈페이지

교회 Church
이　　름
주　　소
전　　화
홈페이지

회사 Company
이　　름
주　　소
전　　화
홈페이지

멘토링다이어리(대) 　클래식
Copyright ⓒ 2021 SolaFideBooks
발행인 : 이원우 | 발행일 2021. 1. 1.
발행처 : 솔라피데출판사 | 등록번호 제10-1452호
주소 : (10881) 경기도 파주시 문발로 123 파주출판문화정보산업단지
전화 : (031) 992 - 8692 | E-mail : vsbook@hanmail.net
공급처 : 솔라피데출판유통 | 전화 : (031) 992 - 8691 | 팩스 : (031) 955 - 4433
❖ 본 다이어리의 내용을 허락없이 무단 전재와 복제를 할 수 없습니다.